Éditrice : Caty Bérubé

Chef d'équipe production éditoriale : Crystel Jobin-Gagnon

Chargée de contenu : Geneviève Boisvert

Auteurs : Benoit Boudreau, Éric Dacier et Richard Houde.

Chefs cuisiniers : Benoit Boudreau (chef d'équipe), Éric Dacier et Richard Houde.

Rédactrice : Miléna Babin

Réviseures : Edmonde Barry, Marie-Christine Bédard, Marilou Cloutier (chef d'équipe rédaction
et révision), Sophie Lamontagne et Viviane St-Arnaud.

Chef d'équipe production graphique : Marie-Christine Langlois

Conceptrices graphiques : Sonia Barbeau, Sheila Basque, Annie Gauthier, Marie-Chloë G. Barrette,
Karyne Ouellet et Josée Poulin.

Stylistes culinaires : Geneviève Charron, Maude Grimard, Carly Harvey, Christine Morin (chef d'équipe)
et Joséphine St-Laurent Pelletier.

Photographes : Mélanie Blais, Jean-Christophe Blanchet (chef d'équipe par intérim), Michaël Fournier
et Rémy Germain.

Photographes et vidéastes : Tony Davidson et Francis Gauthier.

Spécialiste en traitement d'images et calibration photo : Yves Vaillancourt

**Catalogage avant publication de Bibliothèque et Archives nationales du Québec et Bibliothèque
et Archives Canada**

Titre : Végé gourmand : 115 succulentes recettes sans viande / Benoit Boudreau, Richard Houde,
Éric Dacier.

Noms : Boudreau, Benoît, auteur. | Houde, Richard, auteur. | Dacier, Éric, 1977- auteur.

Description : Mention de collection : Livre Je cuisine | Comprend un index.

Identifiants : Canadiana 20200092596 | ISBN 9782896588879

Vedettes-matière : RVM : Cuisine végétarienne. | RVMGF : Livres de cuisine.

Classification : LCC TX837.B68 2021 | CDD 641.5/636—dc23

Directeur de la distribution : Marcel Bernatchez

Distribution : Pratico-Pratiques inc. et Messageries ADP.

Impression : TC Interglobe Beauce

Dépôt légal : 1er trimestre 2021
Bibliothèque et Archives nationales du Québec
Bibliothèque et Archives Canada
ISBN 978-2-89658-887-9

Gouvernement du Québec. Programme de crédit d'impôt pour
l'édition de livres – Gestion SODEC

Financé par le
gouvernement
du Canada | **Canadä**

P PRATICO
EDITION

7710, boulevard Wilfrid-Hamel, Québec (QC) G2G 2J5
Tél. : 418 877-0259
Sans frais : 1 866 882-0091
Téléc. : 418 780-1716
www.pratico-pratiques.com
Commentaires et suggestions : info@pratico-pratiques.com

Végé gourmand

115 succulentes recettes sans viande

Table des matières

Tout pour aimer les mets végé !

Vous avez fait le tour des recettes végétariennes que vous connaissez et vous êtes maintenant prêt à faire le plein de nouvelles idées ? Que vous soyez végé à l'année ou que vous souhaitiez simplement manger végé plus souvent (quelle bonne idée !), ce livre rempli de recettes géniales saura assurément satisfaire vos attentes... et vos papilles !

Fidèles à nos habitudes, nous nous sommes mis au défi d'élaborer des recettes simples qui permettront à tout un chacun d'y trouver son compte. Rien de compliqué, c'est promis ! Juste des explosions de saveurs et de couleurs dans vos assiettes ! Imaginées en fonction des protéines végétales les plus accessibles, nos recettes parfaitement équilibrées ont toutes un point commun : elles sont gourmandes à souhait !

Envie de découvrir ou de redécouvrir les légumineuses, les produits dérivés du soya, les légumes, les grains, les noix et les céréales dans nos excellentes et rassasiantes recettes ?

C'est parti !

L'équipe Je cuisine

La cuisine végé
démystifiée

Pour tirer un maximum de plaisir et de bienfaits à long terme de l'alimentation végétarienne, il importe de maîtriser certaines notions de base. Les informations suivantes vous aideront assurément à y voir plus clair !

Ces dernières années, le végétarisme a gagné du terrain partout sur la planète. Cet engouement généralisé s'explique notamment par le résultat de nombreuses études scientifiques ayant démontré que réduire notre consommation de viande s'avère bénéfique pour notre propre santé, mais aussi pour celle de notre précieuse planète.

Du point de vue de la santé, on sait désormais que la viande contient des gras saturés, lesquels sont nocifs lorsqu'ils sont consommés en quantité importante. Par exemple, une corrélation a été établie entre une consommation excessive de viande et le risque élevé de développer un cancer colorectal. À l'inverse, les végétaux sont pauvres en gras saturés et en cholestérol, en plus de présenter une haute teneur en phytoprotecteurs, en fibres et en antioxydants. Pour cette raison, la consommation de végétaux joue un rôle dans la prévention de divers problèmes de santé tels que les maladies cardiovasculaires, l'hypertension, le diabète et l'obésité. Grâce à une étude menée par des chercheurs de l'Université Harvard qui a été publiée par le *Journal of the American Medical Association*, on sait aujourd'hui qu'augmenter sa consommation de végétaux de 3 % peut diminuer jusqu'à 10 % les risques de mortalité générale et de 12 % les risques de mortalité en lien avec les maladies du cœur.

Sur le plan environnemental, il a été maintes fois démontré au moyen de données scientifiques que l'empreinte écologique liée à la consommation de viande est plus élevée que celle liée à la consommation de protéines végétales. Des chercheurs de l'Université d'Oxford ont publié dans le magazine *Nature* en 2018 une étude révélant que pas moins de 72 à 78 % des gaz à effet de serre du secteur agricole mondial sont attribués à la production de viande. À titre d'exemple, la production de 1 kg de bœuf émet 32,5 kg de CO_2, tandis que la même quantité de soya en émet 0,1 kg.

A priori, il n'y a que de bonnes raisons d'adopter l'alimentation végé, mais encore faut-il être bien informé pour s'assurer de faire des choix sensés. Vous découvrirez au fil des pages de ce livre une mine d'informations qui vous guideront au quotidien !

Quel type de végétarien êtes-vous ?

Saviez-vous qu'il existe plusieurs types de régimes végétariens ? En effet, selon que les motivations derrière ce mode d'alimentation sont liées au bien-être animal, à l'environnement ou à la santé, les végétariens se classeront dans diverses sous-catégories.

TYPE DE VÉGÉTARISME	PRODUITS CONSOMMÉS
Végétalisme (ou « véganisme »)	Produits d'origine végétale
Lacto-végétarisme	Produits d'origine végétale et produits laitiers
Lacto-ovo-végétarisme	Produits d'origine végétale, produits laitiers et œufs
Pesco-végétarisme	Produits d'origine végétale, produits laitiers, œufs et poisson d'élevage
Semi-végétarisme	Produits d'origine végétale, produits laitiers, œufs, poisson d'élevage et volaille
Flexitarisme	Les flexitariens se définissent comme des végétariens à temps partiel, ce qui signifie qu'ils ont diminué significativement leur consommation de viande, mais ne l'ont pas cessée complètement.

Comment combler ses besoins en protéines ?

Ceux qui souhaitent diminuer leur consommation de viande, voire totalement cesser d'en consommer, partagent bien souvent une même inquiétude, celle de ne pas être en mesure de combler leur apport quotidien en protéines. Les protéines sont effectivement essentielles au bon fonctionnement du corps humain. En plus de lui fournir de l'énergie, elles contribuent au sentiment de satiété, favorisent le développement des muscles et protègent l'organisme contre plusieurs maladies. Tout comme les repas non végétariens, les repas végétariens devraient fournir environ 15 g de protéines, au minimum. Qui plus est, tel que le recommande la nouvelle version du *Guide alimentaire canadien* publiée au début de l'année 2019, les fruits et les légumes devraient occuper la moitié de notre assiette, tandis que les protéines et les grains entiers devraient en occuper le quart. Le soya et les produits dérivés du soya, les légumineuses, les oléagineux (noix et graines) ainsi que les céréales et pseudocéréales ne sont que quelques exemples de protéines végétales.

Protéines végétales *vs* animales

La différence entre les protéines végétales et les protéines animales réside surtout dans les acides aminés qu'elles contiennent. Il existe vingt acides aminés, dont neuf qui peuvent être produits par notre organisme et que l'on appelle « acides aminés essentiels ». Contrairement aux protéines végétales, les protéines animales contiennent l'ensemble des acides aminés essentiels. Or, il est possible, et même très facile, de profiter de tous les acides aminés essentiels en se nourrissant de protéines végétales, à condition de combiner différentes sources de protéines végétales (légumineuses, tofu, céréales, noix, etc.) au cours d'une même journée. La règle d'or pour combler tous nos besoins en matière d'acides aminés essentiels lorsqu'on ne consomme pas de protéines d'origine animale ? Miser sur une alimentation équilibrée et variée ! Enfin, il importe de mentionner que les protéines végétales contiennent des fibres et des bons gras, contrairement aux protéines animales qui ne contiennent pas de fibres et qui procurent des gras saturés, considérés comme nocifs pour la santé.

Manger végé, est-ce toujours santé ?

Plusieurs sont portés à penser, à tort, que l'alimentation végétarienne est synonyme d'alimentation saine. Or, l'industrie de l'alimentation végé n'échappe malheureusement pas au fléau des produits transformés ! On trouve donc dans les rayons des supermarchés une grande quantité de produits végétariens qui regorgent de sucres ajoutés, de mauvais gras, de sel ou d'agents de conservation jugés nocifs pour la santé. En ce sens, éliminer la viande de son alimentation pour des raisons de santé n'est nullement efficace si on la remplace par des produits végétariens ultra-transformés. Pour profiter d'une alimentation végétarienne saine, il importe de manger des produits variés et le plus frais possible, de bien lire les étiquettes de valeur nutritive, de prendre le temps de comparer les produits entre eux et, surtout, de cuisiner autant que possible plutôt que d'opter pour des mets préparés.

Qu'en est-il des nutriments?

En plus des protéines, le corps a besoin de plusieurs nutriments essentiels pour bien fonctionner au quotidien. Que l'on soit omnivore ou végétarien, il est primordial de s'alimenter de façon diversifiée afin de bénéficier de tous les nutriments et, ainsi, d'éviter les carences. Sans qu'il soit nécessaire de calculer les apports en nutriments de façon systématique et précise, voici à quoi porter attention lorsque vous élaborez vos menus.

1 LE FER

- Légumes verts
- Haricots
- Lentilles
- Pois
- Produits à base de soya
- Fruits séchés
- Graines de sésame
- Graines de citrouille

Le fer est reconnu pour favoriser la production de globules rouges et le transfert de l'oxygène vers les cellules. Le fer que l'on trouve dans les aliments du règne végétal est non héminique ; il est donc moins bien assimilé par l'organisme que le fer héminique que l'on trouve dans les aliments du règne animal. Pour favoriser une meilleure absorption du fer non héminique, il est préférable de combiner les protéines végétales riches en fer à des aliments riches en vitamine C tels que le cantaloup, les fraises, les oranges, le brocoli ou les poivrons rouges. Cette combinaison peut augmenter de deux à six fois l'absorption du fer. Pour ne pas nuire à son absorption, on évitera par ailleurs de consommer les protéines végétales riches en fer en même temps que des produits laitiers ou immédiatement après avoir consommé du thé ou du café.

Apport quotidien recommandé pour les adultes :
18 mg/jour pour une femme âgée de 19 à 50 ans
8 mg/jour pour un homme

2 LE CALCIUM

- Boissons végétales enrichies
- Tofu
- Tempeh
- Haricots blancs
- Mélasse verte
- Chou kale
- Bok choys
- Graines de sésame non décortiquées

Le calcium est essentiel à la santé des os et des dents, et il régule la coagulation sanguine, la contraction musculaire et l'influx nerveux. Contrairement à la croyance populaire, le calcium n'est pas uniquement présent dans les produits laitiers ; il l'est aussi dans les produits à base de soya, dans certaines légumineuses et dans plusieurs légumes. Pour que le corps humain absorbe bien le calcium, il a besoin de vitamine D. En ce sens, il peut être intéressant d'opter pour des suppléments de vitamine D lorsque les journées raccourcissent et que l'on est moins exposés aux rayons du soleil.

Apport quotidien recommandé pour les adultes : 1000 mg/jour

3 LA VITAMINE B12

- Céréales à déjeuner
- Boissons végétales
- Levure alimentaire
- Sans-viande

La vitamine B12 joue un rôle clé dans la division cellulaire ainsi que dans le bon fonctionnement des cellules du corps et du système nerveux. Comme il s'agit de la seule vitamine que l'on ne trouve pas dans les aliments du règne végétal, il est important de combler ses besoins en vitamine B12 à l'aide de produits enrichis. Si on exclut à 100 % les produits d'origine animale de son alimentation (végétalisme), il est conseillé de miser sur un supplément de vitamine B12.

Apport quotidien recommandé pour les adultes : un supplément de vitamine B12 de 25 à 250 µg (sous forme de cyanocobalamine)

4 LE ZINC

- Légumineuses
- Tofu
- Germe de blé
- Grains entiers
- Produits céréaliers enrichis
- Graines de citrouille
- Graines de sésame
- Noix de cajou
- Pacanes
- Amandes
- Noix de pin
- Shiitakes séchés

Le zinc est reconnu pour favoriser le bon fonctionnement du système immunitaire, et il est essentiel à la croissance et aux fonctions cognitives. Des études ont démontré que l'organisme humain parvient à assimiler le zinc contenu dans les aliments de façon plus efficace lorsqu'on le combine à de l'ail ou à des oignons.

Apport quotidien recommandé pour les adultes :
8 mg/jour pour une femme ; 11 mg/jour pour un homme

5 LA VITAMINE D

- Boissons végétales enrichies

La vitamine D est reconnue pour favoriser l'absorption du calcium et, ainsi, stimuler le développement des os et des muscles. L'exposition au soleil pour une période d'au moins 15 minutes demeure la meilleure façon de permettre au corps de faire le plein de vitamine D, puisque les rayons du soleil métabolisent la vitamine D lorsqu'ils sont en contact avec la peau. Il peut donc être intéressant de combler ses besoins en vitamine D avec des suppléments lorsque les journées raccourcissent.

Apport quotidien recommandé pour les adultes : de 600 à 2 000 UI/jour

6 LES ACIDES OMÉGA-3

- Huile de canola
- Graines de lin moulues
- Graines de chanvre
- Graines de chia

Les acides oméga-3 contribuent au bon fonctionnement du cœur et du cerveau. Bien que les sources d'acides oméga-3 d'origine végétale ne soient pas tout à fait équivalentes à celles d'origine animale, elles sont bénéfiques pour la santé. Au besoin, il est possible de prendre des suppléments de DHA/EPA végétaux.

Apport quotidien recommandé pour les adultes :

1,6 g/jour pour une femme
1,1 g/jour pour un homme

Tofu

On ne peut pas parler de cuisine végé sans parler du tofu ! Que cette protéine végétale fasse déjà partie de votre alimentation ou que vous désiriez l'apprivoiser, voici une sélection de recettes à la fois accessibles et originales pour le cuisiner de façon tout à fait gourmande. Du tofu mariné aux tomates séchées au cari que l'on adore, en passant par les pâtes Alfredo au tofu fumé, nos suggestions de soupers le rendront irrésistible, même pour ceux qui ne l'apprécient pas de prime abord !

Tofu

Ah, le tofu ! Certains le boudent, d'autres en raffolent. Si vous ne l'avez pas encore adopté, ces informations et astuces pour réussir vos recettes à tous les coups sauront certainement vous le faire apprécier à sa juste valeur !

C'est quoi ?

Le tofu provient du soya. Pour le fabriquer, on fait tremper des fèves de soya séchées dans de l'eau tiède pendant de longues heures. Par la suite, l'eau et les fèves sont broyées ensemble, et ce mélange est filtré pour obtenir une boisson végétale. On ajoute ensuite à cette boisson un agent coagulant dans l'objectif de permettre à la protéine de se solidifier. Selon le type d'agent coagulant utilisé, on obtient un tofu plus ou moins ferme. Pour le tofu ferme, l'agent utilisé peut être du chlorure de magnésium ou encore du chlorure de calcium. Pour le tofu mou, on utilise plutôt du sulfate de calcium ou du glucono-delta-lactone, puisque ces agents transforment le liquide en gélatine, conférant ainsi au tofu une texture soyeuse.

Valeurs nutritives

En plus de contenir de nombreux acides aminés essentiels, le tofu est une bonne source de fer, de calcium et de protéines. Environ 100 g (3 ½ oz) de tofu ferme, par exemple, renferment 8,2 g de protéines, alors que la même quantité de tofu soyeux mou en renferme de 4 à 8 g. Le tofu contient en prime de bons gras mono-insaturés et polyinsaturés et est exempt de cholestérol.

Le tofu contient-il des organismes génétiquement modifiés (OGM) ?

Une rumeur tenace prétend que le tofu contiendrait une grande quantité d'OGM, puisqu'il serait préparé à partir de soya génétiquement modifié. S'il est vrai qu'un peu plus de 75 % du soya cultivé dans le monde est génétiquement modifié, celui destiné à la consommation humaine au Canada ne l'est pas. En fait, il existe deux types de semences de soya. Les graines de soya noires, qui sont principalement réservées aux cultures destinées à l'alimentation des animaux d'élevage, peuvent effectivement contenir des OGM. Les cultures destinées à l'alimentation humaine, notamment pour produire du tofu, du tempeh et des boissons de soya, proviennent quant à elles des graines de soya jaunes. Or, selon l'organisme Vigilance OGM, le Canada ne cultive pas de soya jaune génétiquement modifié.

Le soya est-il cancérigène ?

Avez-vous déjà entendu la rumeur selon laquelle la consommation de soya favoriserait le développement du cancer du sein ? Rassurez-vous, rien n'est plus faux ! Les fèves de soya contiennent en effet une grande quantité d'isoflavones, une variété de phytoestrogènes dont la structure moléculaire s'apparente à celle de l'hormone féminine appelée « œstrogène ». Si l'œstrogène joue un rôle dans le développement de certains cancers, les phytoestrogènes, eux, n'agissent pas de la même façon. Des études récentes ont démontré que la consommation régulière de soya est sans danger, et ce, même chez les survivantes du cancer du sein et les femmes ménopausées.

4 TRUCS DE PRO POUR DU TOFU FERME SAVOUREUX

Congeler. Prenez l'habitude de congeler votre tofu lorsque vous revenez de l'épicerie. Pendant le processus de congélation, des petits cristaux se formeront dans le tofu, ce qui créera des sillons jusqu'au centre du bloc. Ainsi, plutôt que de rester qu'en surface, la marinade se faufilera jusqu'au centre du bloc.

Pour décongeler le tofu rapidement, on peut le placer dans un sac en plastique que l'on déposera dans un contenant d'eau tiède.

Presser. Que vous ayez fait congeler le tofu ou non, pressez-le entre vos paumes afin d'en extraire le plus d'eau possible. De cette façon, le goût de votre marinade ne risque pas d'être dilué par la présence d'eau dans le tofu. Cette étape est aussi nécessaire pour les recettes de tofu pané afin de s'assurer que la panure adhère bien aux morceaux de tofu.

Mariner. Puisque le tofu a un goût neutre, il est important de l'assaisonner pour l'apprécier. On peut faire mariner le tofu avec les mêmes ingrédients que l'on utilise pour mariner les viandes. La sauce tamari, le sirop d'érable, la sauce barbecue, le vinaigre de riz, l'huile de sésame, l'ail, le gingembre, la pâte de cari et les jus d'agrumes sont quelques exemples d'aromates qui se marient bien avec le tofu.

Découvrez nos idées de recettes de tofu mariné aux pages 18, 20, 24, 30 et 40 !

Enrober. Pour lui donner un petit côté croustillant, il est recommandé d'enrober le tofu mariné (émietté, en tranches, en cubes, etc.) dans de la fécule de maïs. Lors de la cuisson, la fécule formera une petite croûte à la surface des morceaux.

À découvrir : le tofu ferme fumé

Le tofu fumé est tout simplement du tofu ferme nature auquel on a ajouté de la fumée liquide et un peu d'ail. Son goût peut rappeler celui des saucisses à hot-dog traditionnelles, du jambon Forêt-Noire ou du bacon. Le tofu fumé peut remplacer ce type de viande dans n'importe quelle de vos recettes. Notez qu'il est aussi possible de donner un bon petit goût de fumée à votre tofu ferme nature en y ajoutant quelques gouttes de fumée liquide en fin de cuisson. Vous trouverez la fumée liquide dans certains supermarchés ainsi que dans certaines boutiques d'aliments naturels.

Comment apprêter le tofu soyeux mou ?

En version nature, le tofu soyeux mou peut être intégré aux plats présentant une texture crémeuse, par exemple les potages, *mac'n cheese*, vol-au-vent, gratins, lasagnes ou quiches. En version aromatisée (banane, noix de coco, fraise, mangue, etc.), on l'utilise plutôt dans les gâteaux, muffins, mousses et smoothies. Ce type de tofu peut aussi être mangé à la cuillère en guise de dessert ou de collation.

Comment se conserve le tofu ?

Le tofu ferme se conserve au réfrigérateur jusqu'à la date de péremption indiquée sur l'emballage. Une fois l'emballage ouvert, il est important de transférer le tofu dans un contenant hermétique et de l'immerger dans de l'eau froide. À condition de changer cette eau chaque jour, le tofu ferme se conservera environ de 3 à 4 jours au réfrigérateur.

Le tofu soyeux mou se conserve au réfrigérateur jusqu'à la date de péremption indiquée sur l'emballage. Lorsque l'emballage est ouvert, on peut transférer les restants de tofu dans un contenant hermétique et placer ce dernier au réfrigérateur. Ainsi, les restants se conserveront de 2 à 3 jours.

Salade d'orzo et feta de tofu à la grecque

Préparation 20 minutes | Marinage 8 heures | Cuisson 6 minutes | Quantité 4 portions

PAR PORTION	
Calories	761
Protéines	32 g
M.G.	33 g
Glucides	88 g
Fibres	8 g
Fer	8 mg
Calcium	203 mg
Sodium	1018 mg

Pour la feta de tofu :

60 ml (¼ de tasse) de jus de citron frais

30 ml (2 c. à soupe) de vinaigre de cidre

15 ml (1 c. à soupe) d'huile d'olive

15 ml (1 c. à soupe) de persil frais haché

10 ml (2 c. à thé) d'origan frais haché

5 ml (1 c. à thé) d'ail haché

5 ml (1 c. à thé) de sel

1 bloc de tofu extra-ferme de 454 g, coupé en cubes

Pour la salade :

375 ml (1 ½ tasse) d'orzo

1 boîte de cœurs d'artichauts de 398 ml, rincés et égouttés

½ concombre anglais coupé en cubes

2 tomates coupées en cubes

1 petit oignon rouge émincé

12 olives Kalamata dénoyautées

60 ml (¼ de tasse) de petites feuilles de basilic frais

Pour la vinaigrette :

60 ml (¼ de tasse) d'huile d'olive

45 ml (3 c. à soupe) de vinaigre de vin rouge

10 ml (2 c. à thé) d'herbes italiennes séchées

Sel et poivre au goût

1. Dans un bol, mélanger 60 ml (¼ de tasse) d'eau avec le jus de citron, le vinaigre de cidre, l'huile, le persil, l'origan, l'ail et le sel. Ajouter les cubes de tofu. Couvrir et laisser mariner au frais 8 heures ou toute une nuit.

2. Au moment du repas, cuire l'orzo *al dente* dans une casserole d'eau bouillante salée. Égoutter. Refroidir sous l'eau froide et égoutter de nouveau.

3. Couper les cœurs d'artichauts en quartiers.

4. Dans un saladier, fouetter les ingrédients de la vinaigrette. Ajouter l'orzo, le concombre, les tomates, l'oignon rouge, les cœurs d'artichauts, les olives et le basilic. Remuer délicatement.

5. Égoutter les cubes de tofu et jeter la marinade. Garnir la salade de feta de tofu.

Zoom sur...

La feta de tofu

Du fromage feta sans produit laitier, c'est à la fois une façon de réinventer le tofu et de retrouver le bon goût ainsi que la texture de la feta. En plus, préparer la feta de tofu est simple comme bonjour ! Il suffit de faire macérer des cubes de tofu extra-ferme dans une saumure composée d'eau, de sel, de jus de citron et, si désiré, de fines herbes. On laisse mariner au réfrigérateur toute une journée ou toute une nuit, puis on égoutte les cubes de tofu avant de servir. Les restes se conservent dans un contenant hermétique au réfrigérateur pendant 5 jours.

PAR PORTION	
Calories	727
Protéines	28 g
M.G.	40 g
Glucides	72 g
Fibres	7 g
Fer	7 mg
Calcium	362 mg
Sodium	856 mg

Pâtes cajuns au tofu croustillant

Préparation 20 minutes | **Marinage** 1 heure | **Cuisson** 28 minutes | **Quantité** 4 portions

1 litre (4 tasses) de gemellis

Pour le tofu :

30 ml (2 c. à soupe) de sauce soya

5 ml (1 c. à thé) de paprika fumé doux

5 ml (1 c. à thé) de jus de lime frais

1 bloc de tofu ferme de 300 g, coupé en bâtonnets

250 ml (1 tasse) de chapelure nature

30 ml (2 c. à soupe) d'huile d'olive

Pour la sauce :

15 ml (1 c. à soupe) d'huile d'olive

1 oignon haché

1 contenant de champignons blancs de 227 g, tranchés

3 demi-poivrons de couleurs variées tranchés

10 ml (2 c. à thé) d'ail haché

15 ml (1 c. à soupe) d'épices cajun

5 ml (1 c. à thé) de paprika

500 ml (2 tasses) de crème à cuisson 15 %

125 ml (½ tasse) de bouillon de légumes

30 ml (2 c. à soupe) de pâte de tomates

Sel et poivre au goût

1. Dans un bol, mélanger la sauce soya avec le paprika fumé et le jus de lime. Ajouter les bâtonnets de tofu et remuer pour bien les enrober de marinade. Couvrir et laisser mariner au frais de 1 à 2 heures.

2. Au moment de la cuisson, préchauffer le four à 205 °C (400 °F).

3. Égoutter les bâtonnets de tofu et jeter la marinade.

4. Dans un autre bol, déposer la chapelure. Enrober les bâtonnets de tofu de chapelure.

5. Sur une plaque de cuisson tapissée de papier parchemin, déposer les bâtonnets de tofu. Verser l'huile en filet sur le tofu. Cuire au four de 12 à 15 minutes, en retournant les bâtonnets à mi-cuisson.

6. Dans une casserole, chauffer l'huile pour la sauce à feu moyen. Cuire l'oignon de 2 à 3 minutes.

7. Ajouter les champignons et les poivrons dans la casserole. Poursuivre la cuisson de 5 à 7 minutes, jusqu'à ce que l'eau soit évaporée.

8. Ajouter l'ail, les épices cajun et le paprika. Poursuivre la cuisson 1 minute en remuant.

9. Ajouter la crème, le bouillon de légumes et la pâte de tomates. Porter à ébullition, puis laisser mijoter de 8 à 10 minutes à feu moyen. Saler, poivrer et remuer.

10. Pendant ce temps, cuire les pâtes *al dente* dans une casserole d'eau bouillante salée. Égoutter.

11. Ajouter les pâtes dans la casserole contenant la sauce. Remuer. Garnir de bâtonnets de tofu.

Riz frit au tofu fumé

Préparation 25 minutes | **Cuisson** 11 minutes | **Quantité** 4 portions

PAR PORTION	
Calories	396
Protéines	19 g
M.G.	26 g
Glucides	23 g
Fibres	4 g
Fer	3 mg
Calcium	365 mg
Sodium	381 mg

30 ml (2 c. à soupe) de fécule de maïs

2 blocs de tofu fumé de 210 g chacun, coupé en triangles

60 ml (¼ de tasse) d'huile de canola

1 petit oignon tranché

1 carotte coupée en fines tranches

1 branche de céleri émincée

1 brocoli coupé en petits bouquets

15 ml (1 c. à soupe) de pâte de cari rouge

15 ml (1 c. à soupe) d'ail haché

10 ml (2 c. à thé) de gingembre haché

1 litre (4 tasses) de riz basmati cuit, refroidi

60 ml (¼ de tasse) de raisins secs

60 ml (¼ de tasse) de coriandre fraîche hachée

Sel et poivre au goût

15 ml (1 c. à soupe) de graines de sésame rôties

1. Dans un bol, déposer la fécule de maïs. Ajouter les triangles de tofu et remuer délicatement pour bien les enrober de fécule. Secouer pour retirer l'excédent de fécule.

2. Dans une grande poêle antiadhésive, chauffer la moitié de l'huile à feu moyen-élevé. Cuire les triangles de tofu de 2 à 3 minutes de chaque côté, jusqu'à ce qu'ils soient dorés et croustillants. Transférer les triangles dans une assiette. Éponger avec du papier absorbant.

3. Dans la même poêle, cuire l'oignon, la carotte, le céleri et le brocoli de 3 à 4 minutes en remuant régulièrement.

4. Ajouter la pâte de cari, l'ail et le gingembre. Poursuivre la cuisson 1 minute en remuant. Réserver dans un bol.

5. Dans la même poêle, chauffer le reste de l'huile. Chauffer le riz de 3 à 4 minutes en remuant, jusqu'à ce qu'il soit légèrement croustillant.

6. Ajouter le tofu, la préparation aux légumes, les raisins secs et la coriandre dans la poêle. Saler, poivrer et remuer. Garnir de graines de sésame.

Tofu tikka masala

Préparation 15 minutes | **Marinage** 2 heures | **Cuisson** 28 minutes | **Quantité** 4 portions

PAR PORTION	
Calories	552
Protéines	29 g
M.G.	17 g
Glucides	73 g
Fibres	6 g
Fer	5 mg
Calcium	364 mg
Sodium	247 mg

1	bloc de tofu extra-ferme de 454 g, coupé en cubes
30 ml	(2 c. à soupe) de feuilles de coriandre fraîche
1 litre	(4 tasses) de riz basmati cuit, chaud

Pour la marinade :

80 ml	(⅓ de tasse) de yogourt grec nature 2 %
15 ml	(1 c. à soupe) d'ail haché
10 ml	(2 c. à thé) de gingembre haché
5 ml	(1 c. à thé) de cumin
5 ml	(1 c. à thé) de paprika
	Sel et poivre au goût

Pour la sauce :

15 ml	(1 c. à soupe) d'huile d'olive
1	oignon haché
15 ml	(1 c. à soupe) de gingembre haché
10 ml	(2 c. à thé) d'ail haché
10 ml	(2 c. à thé) de garam masala
10 ml	(2 c. à thé) de grains de coriandre moulus
5 ml	(1 c. à thé) de paprika
1	boîte de tomates en dés de 540 ml
15 ml	(1 c. à soupe) de sucre
60 ml	(¼ de tasse) de crème à cuisson 15 %
	Sel et poivre au goût

1. Dans un bol, mélanger les ingrédients de la marinade. Ajouter les cubes de tofu et remuer afin de bien les enrober de marinade. Couvrir et laisser mariner au frais de 2 à 3 heures.

2. Au moment de la cuisson, préchauffer le four à 205 °C (400 °F).

3. Sur une plaque de cuisson tapissée de papier parchemin, déposer la préparation au tofu. Cuire au four de 15 à 20 minutes, en remuant à mi-cuisson.

4. Pendant ce temps, chauffer l'huile à feu moyen dans une casserole. Cuire l'oignon de 2 à 3 minutes.

5. Ajouter le gingembre, l'ail, le garam masala, les grains de coriandre moulus et le paprika. Poursuivre la cuisson de 1 à 2 minutes.

6. Ajouter les tomates en dés et le sucre. Porter à ébullition, puis laisser mijoter de 10 à 12 minutes à feu doux.

7. Verser la crème dans la casserole. Cuire de 2 à 3 minutes à feu doux. Saler et poivrer. Ajouter le tofu et remuer.

8. Garnir la préparation au tofu de coriandre et accompagner de riz basmati cuit.

Poke bowl de tofu à la noix de coco

Préparation 25 minutes | **Cuisson** 20 minutes | **Quantité** 4 portions

250 ml	(1 tasse) de riz à sushis
15 ml	(1 c. à soupe) de vinaigre de riz
60 ml	(¼ de tasse) de farine tout usage
30 ml	(2 c. à soupe) de sauce soya
30 ml	(2 c. à soupe) de miel
250 ml	(1 tasse) de noix de coco non sucrée râpée
1	bloc de tofu extra-ferme de 454 g, coupé en cubes
30 ml	(2 c. à soupe) d'huile de noix de coco
1	mangue coupée en dés
1	avocat coupé en tranches
12	fraises coupées en tranches

Pour la sauce :

80 ml	(⅓ de tasse) de mayonnaise
15 ml	(1 c. à soupe) de sriracha
10 ml	(2 c. à thé) de sauce soya
5 ml	(1 c. à thé) de gingembre haché
5 ml	(1 c. à thé) d'ail haché

1. Dans un bol, mélanger la mayonnaise avec 15 ml (1 c. à soupe) d'eau, la sriracha, la sauce soya, le gingembre et l'ail. Réserver.

2. Cuire le riz selon les indications de l'emballage.

3. Ajouter le vinaigre de riz et remuer délicatement. Laisser tiédir.

4. Préparer trois assiettes creuses. Dans la première, déposer la farine. Dans la deuxième, mélanger la sauce soya avec le miel. Dans la troisième, déposer la noix de coco.

5. Fariner les cubes de tofu. Secouer pour retirer l'excédent de farine. Badigeonner les cubes de préparation au miel à l'aide d'un pinceau, puis les enrober de noix de coco.

6. Dans une grande poêle, chauffer l'huile de noix de coco à feu moyen. Faire dorer les cubes de tofu sur toutes les faces de 2 à 3 minutes.

7. Dans quatre bols, répartir séparément le riz, la mangue, l'avocat, les fraises et le tofu. Napper d'un filet de sauce.

PAR PORTION	
Calories	299
Protéines	15 g
M.G.	20 g
Glucides	19 g
Fibres	5 g
Fer	4 mg
Calcium	183 mg
Sodium	282 mg

Potage à la courge Butternut et au tofu

Préparation 15 minutes | **Cuisson** 24 minutes | **Quantité** 4 portions

10 ml (2 c. à thé)
d'huile d'olive

½ petit oignon haché

1 petite courge Butternut
coupée en dés

375 ml (1 ½ tasse) de bouillon
de légumes

60 ml (¼ de tasse)
de graines de chanvre
décortiquées

5 ml (1 c. à thé) d'origan
frais haché

Sel et poivre au goût

1 paquet de tofu
mou soyeux (de type
Sunrise) de 300 g

Pour garnir :

45 ml (3 c. à soupe)
de graines de citrouille

60 ml (¼ de tasse) de graines
de tournesol rôties

1. Dans une grande casserole, chauffer l'huile à feu moyen. Cuire l'oignon et la courge de 4 à 5 minutes.

2. Ajouter le bouillon de légumes, les graines de chanvre et l'origan. Saler, poivrer et remuer. Porter à ébullition, puis laisser mijoter de 20 à 25 minutes à feu doux, jusqu'à ce que la courge soit tendre.

3. Transférer la préparation dans le contenant du mélangeur électrique. Ajouter le tofu et mélanger de 1 à 2 minutes.

4. Répartir le potage dans les bols. Garnir de graines de citrouille et de tournesol.

Tofu mariné aux tomates séchées

Préparation 20 minutes | **Marinage** 1 heure | **Cuisson** 18 minutes | **Quantité** 4 portions

PAR PORTION	
Calories	446
Protéines	26 g
M.G.	32 g
Glucides	17 g
Fibres	4 g
Fer	5 mg
Calcium	286 mg
Sodium	273 mg

450 g (1 lb) d'asperges coupées en tronçons

500 ml (2 tasses) de tomates cerises coupées en deux

30 ml (2 c. à soupe) de vinaigre balsamique

30 ml (2 c. à soupe) d'huile d'olive

Sel et poivre au goût

80 ml (⅓ de tasse) de parmesan râpé

30 ml (2 c. à soupe) de basilic frais haché

Pour le tofu :

1 bloc de tofu ferme de 454 g, coupé en cubes

60 ml (¼ de tasse) de pesto de tomates séchées

30 ml (2 c. à soupe) d'huile d'olive

10 ml (2 c. à thé) d'herbes italiennes séchées

5 ml (1 c. à thé) d'ail haché

1. Dans un bol, mélanger les cubes de tofu avec le pesto de tomates séchées, l'huile d'olive, les herbes italiennes et l'ail. Couvrir et laisser mariner au frais de 1 à 2 heures.

2. Au moment de la cuisson, préchauffer le four à 190 °C (375 °F).

3. Dans un autre bol, mélanger les asperges avec les tomates, le vinaigre balsamique et l'huile. Saler, poivrer et remuer.

4. Sur une plaque de cuisson tapissée de papier parchemin, verser la préparation aux tomates et asperges. Cuire au four 10 minutes. Retirer du four et remuer les légumes.

5. Ajouter les cubes de tofu sur la plaque. Saler et poivrer. Poursuivre la cuisson au four de 8 à 10 minutes.

6. À la sortie du four, garnir de parmesan et de basilic.

En à-côté

Couscous au paprika et aux herbes

Dans une casserole, porter à ébullition 250 ml (1 tasse) de **bouillon de légumes**. Dans un bol, mélanger 250 ml (1 tasse) de **couscous** avec 15 ml (1 c. à soupe) d'**huile d'olive**. Ajouter 30 ml (2 c. à soupe) de **persil frais** haché, 5 ml (1 c. à thé) d'**origan frais** haché et 5 ml (1 c. à thé) de **paprika fumé doux**. Verser le bouillon bouillant sur le couscous. Couvrir et laisser reposer 5 minutes avant de remuer à l'aide d'une fourchette. Saler, poivrer et remuer.

Pitas au tofu pané

Préparation 20 minutes | **Cuisson** 4 minutes | **Quantité** 4 portions

PAR PORTION	
Calories	725
Protéines	25 g
M.G.	27 g
Glucides	96 g
Fibres	7 g
Fer	11 mg
Calcium	216 mg
Sodium	807 mg

125 ml (½ tasse) de farine tout usage

125 ml (½ tasse) de boisson aux amandes nature

15 ml (1 c. à soupe) de vinaigre de cidre

15 ml (1 c. à soupe) de moutarde de Dijon

750 ml (3 tasses) de céréales de flocons de maïs grillés (de type Corn Flakes)

1 bloc de tofu ferme de 300 g, coupé en bâtonnets

60 ml (¼ de tasse) d'huile de canola

4 pitas de blé entier

8 feuilles de laitue

½ petit oignon rouge tranché

1 grosse tomate tranchée

1 cornichon coupé en rondelles

Pour la sauce :

125 ml (½ tasse) de crème sure 14 %

15 ml (1 c. à soupe) de jus de lime frais

2,5 ml (½ c. à thé) de paprika fumé doux

Sel et poivre au goût

1. Dans un bol, mélanger les ingrédients de la sauce. Réserver au frais.

2. Préparer trois assiettes creuses. Dans la première, déposer la farine. Dans la deuxième, fouetter la boisson aux amandes avec le vinaigre et la moutarde. Dans la troisième, verser les céréales. Écraser les céréales avec les mains jusqu'à l'obtention d'une chapelure grossière.

3. Fariner les bâtonnets de tofu. Secouer pour retirer l'excédent de farine. Tremper les bâtonnets dans la préparation à la boisson aux amandes, puis les enrober de chapelure.

4. Dans une grande poêle, chauffer l'huile à feu moyen. Faire dorer les bâtonnets de tofu sur toutes les faces de 4 à 5 minutes. Transférer les bâtonnets dans une assiette. Éponger avec du papier absorbant.

5. Garnir les pitas de sauce, de laitue, d'oignon, de tomate, de cornichon et de bâtonnets de tofu.

En à-côté

Salade de chou maison

Dans un saladier, mélanger 60 ml (¼ de tasse) d'**huile d'olive** avec 30 ml (2 c. à soupe) de **jus de citron frais**, 15 ml (1 c. à soupe) de **miel** et 5 ml (1 c. à thé) de **moutarde de Dijon**. Ajouter 500 ml (2 tasses) de **chou vert** râpé, 500 ml (2 tasses) de **chou rouge** râpé, 1 **carotte** râpée et ½ petit **oignon rouge** tranché. Saler, poivrer et remuer.

Cari vert de tofu

Préparation 15 minutes | **Cuisson** 14 minutes | **Quantité** 4 portions

PAR PORTION	
Calories	492
Protéines	22 g
M.G.	36 g
Glucides	25 g
Fibres	3 g
Fer	5 mg
Calcium	172 mg
Sodium	470 mg

15 ml (1 c. à soupe) d'huile d'olive

1 bloc de tofu extra-ferme de 454 g, coupé en cubes

1 oignon haché

3 demi-poivrons de couleurs variées coupés en lanières

1 courgette coupée en demi-rondelles

10 ml (2 c. à thé) d'ail haché

30 ml (2 c. à soupe) de pâte de cari verte

1 boîte de lait de coco de 398 ml

30 ml (2 c. à soupe) de sauce soya

15 ml (1 c. à soupe) de sucre de canne

15 ml (1 c. à soupe) de jus de lime frais

60 ml (¼ de tasse) d'oignons verts hachés

1. Dans une grande poêle, chauffer l'huile à feu moyen. Faire dorer les cubes de tofu sur toutes les faces de 4 à 5 minutes. Réserver dans une assiette.

2. Dans la même poêle, cuire l'oignon et les poivrons de 2 à 3 minutes à feu moyen.

3. Ajouter la courgette et poursuivre la cuisson de 2 à 3 minutes.

4. Ajouter l'ail et la pâte de cari dans la poêle. Poursuivre la cuisson 1 minute.

5. Ajouter le lait de coco, la sauce soya, le sucre de canne et le jus de lime. Porter à ébullition, puis laisser mijoter de 5 à 7 minutes.

6. Remettre le tofu dans la poêle et remuer. Garnir d'oignons verts.

Zoom sur...

Le sucre de canne

Bien que sa production nécessite énormément d'eau – et qu'elle soit donc considérée comme moins respectueuse de l'environnement –, le sucre de canne pur peut représenter une intéressante option de remplacement au sucre blanc, car il est moins raffiné. Son processus de transformation étant moins important, le sucre de canne conserve un peu de sa mélasse, ce qui lui donne une teinte dorée et un goût délicat. Il se trouve facilement en épicerie. Sachez que dans cette recette, vous pouvez utiliser du sucre blanc ordinaire sans problème.

Tofu croustillant épicé

Préparation 15 minutes | **Cuisson** 3 minutes | **Quantité** 4 portions

PAR PORTION	
Calories	273
Protéines	16 g
M.G.	11 g
Glucides	28 g
Fibres	3 g
Fer	3 mg
Calcium	258 mg
Sodium	35 mg

1 · bloc de tofu ferme de 454 g, coupé en tranches

Sel et poivre au goût

125 ml · (½ tasse) de farine tout usage

2 · œufs

180 ml · (¾ de tasse) de chapelure panko

15 ml · (1 c. à soupe) d'assaisonnements à chili

1,25 ml · (¼ de c. à thé) de piment de Cayenne

30 ml · (2 c. à soupe) de ciboulette fraîche hachée

80 ml · (⅓ de tasse) d'huile de canola

180 ml · (¾ de tasse) de sauce marinara

1. Éponger le tofu avec du papier absorbant. Saler et poivrer.

2. Préparer trois assiettes creuses. Dans la première, déposer la farine. Dans la deuxième, battre les œufs. Dans la troisième, mélanger la chapelure avec les assaisonnements à chili, le piment de Cayenne et la ciboulette.

3. Fariner les tranches de tofu. Secouer pour retirer l'excédent de farine. Tremper les tranches dans les œufs battus, puis les enrober de la préparation à la chapelure.

4. Dans une grande poêle, chauffer l'huile à feu moyen. Faire dorer les tranches de tofu sur toutes les faces de 3 à 4 minutes en les retournant régulièrement. Éponger avec du papier absorbant.

5. Dans une casserole, chauffer la sauce marinara quelques minutes.

6. Servir le tofu avec la sauce.

En à-côté

Pennes tex-mex et courgette

Dans une casserole d'eau bouillante salée, cuire 500 ml (2 tasses) de **pennes** *al dente*. Environ 2 minutes avant la fin de la cuisson, ajouter 1 **courgette** coupée en demi-rondelles dans la casserole. Égoutter. Dans la même casserole, chauffer 15 ml (1 c. à soupe) d'**huile d'olive** à feu moyen. Cuire 1 **échalote sèche (française)** émincée 1 minute. Ajouter les pâtes, la courgette et 15 ml (1 c. à soupe) d'**assaisonnements à chili**. Saler, poivrer et remuer. Réchauffer 1 minute.

Ramen de tofu à l'orange

Préparation 20 minutes | **Cuisson** 6 minutes | **Quantité** 4 portions

PAR PORTION	
Calories	634
Protéines	30 g
M.G.	23 g
Glucides	57 g
Fibres	5 g
Fer	7 mg
Calcium	245 mg
Sodium	768 mg

15 ml (1 c. à soupe) d'huile de canola

1 bloc de tofu ferme de 454 g, coupé en tranches

2 carottes coupées en juliennes

250 ml (1 tasse) de chou chinois émincé

3 paquets de nouilles instantanées de 85 g chacun

60 ml (¼ de tasse) d'oignons verts hachés

30 ml (2 c. à soupe) de coriandre fraîche hachée

15 ml (1 c. à soupe) de graines de sésame rôties

Pour la sauce :

80 ml (⅓ de tasse) de jus d'orange

60 ml (¼ de tasse) de beurre de cajou

30 ml (2 c. à soupe) de sauce soya

15 ml (1 c. à soupe) de vinaigre de riz

15 ml (1 c. à soupe) de jus de lime frais

10 ml (2 c. à thé) de zestes d'orange

10 ml (2 c. à thé) d'ail haché

10 ml (2 c. à thé) de gingembre haché

1. Dans un bol, mélanger les ingrédients de la sauce. Réserver.

2. Dans une grande poêle, chauffer l'huile à feu moyen. Faire dorer les tranches de tofu de 2 à 3 minutes de chaque côté.

3. Ajouter les carottes et le chou chinois. Poursuivre la cuisson de 2 à 3 minutes.

4. Pendant ce temps, cuire les nouilles instantanées selon les indications sur l'emballage. Égoutter.

5. Ajouter les nouilles et la sauce dans la poêle. Remuer. Garnir d'oignons verts, de coriandre et de graines de sésame.

Plaque de tofu et légumes érable et balsamique

Préparation 15 minutes | **Marinage** 2 heures | **Cuisson** 18 minutes | **Quantité** 4 portions

PAR PORTION	
Calories	297
Protéines	21 g
M.G.	16 g
Glucides	19 g
Fibres	4 g
Fer	3 mg
Calcium	223 mg
Sodium	48 mg

60 ml (¼ de tasse) de vinaigre balsamique

30 ml (2 c. à soupe) d'huile d'olive

15 ml (1 c. à soupe) de sirop d'érable

10 ml (2 c. à thé) d'ail haché

10 ml (2 c. à thé) d'herbes italiennes séchées

2,5 ml (½ c. à thé) de flocons de piment

1 bloc de tofu extra-ferme de 454 g, coupé en cubes

300 g (⅔ de lb) de haricots verts coupés en tronçons

375 ml (1 ½ tasse) de mini-carottes

Sel et poivre au goût

1. Dans un bol, mélanger le vinaigre balsamique avec l'huile d'olive, le sirop d'érable, l'ail, les herbes italiennes et les flocons de piment. Ajouter les cubes de tofu, les haricots et les carottes. Saler, poivrer et remuer afin de bien les enrober de marinade. Couvrir et laisser mariner au frais de 2 à 3 heures.

2. Au moment de la cuisson, préchauffer le four à 205 °C (400 °F).

3. Sur une plaque de cuisson tapissée de papier parchemin, déposer la préparation au tofu et aux légumes. Cuire au four de 18 à 22 minutes, en remuant à mi-cuisson.

Fettucines Alfredo au tofu fumé

Préparation 15 minutes | **Cuisson** 24 minutes | **Quantité** 4 portions

350 g (environ ¾ de lb) de fettucines

15 ml (1 c. à soupe) d'huile d'olive

1 bloc de tofu fumé de 210 g, coupé en dés

1 oignon haché

5 ml (1 c. à thé) d'ail haché

80 ml (⅓ de tasse) de vin blanc

375 ml (1 ½ tasse) de crème à cuisson 15 %

125 ml (½ tasse) de parmesan râpé

250 ml (1 tasse) de pois verts

Sel et poivre au goût

60 ml (¼ de tasse) de ciboulette fraîche hachée

1. Dans une grande casserole d'eau bouillante salée, cuire les fettucines *al dente*. Égoutter.

2. Dans la même casserole, chauffer l'huile à feu moyen. Faire dorer les dés de tofu sur toutes les faces de 5 à 7 minutes, jusqu'à ce qu'ils soient croustillants. Réserver dans une assiette.

3. Dans la même casserole, cuire l'oignon de 3 à 4 minutes.

4. Ajouter l'ail et poursuivre la cuisson 1 minute.

5. Verser le vin blanc dans la casserole et laisser mijoter jusqu'à ce que le liquide ait évaporé de moitié.

6. Ajouter la crème. Porter à ébullition, puis laisser mijoter de 4 à 5 minutes à feu doux.

7. Ajouter le parmesan et remuer jusqu'à ce qu'il soit fondu. Ajouter les pois verts, le tofu et les fettucines. Saler, poivrer et remuer. Garnir de ciboulette.

Sauté de tofu caramélisé

Préparation 15 minutes | **Cuisson** 14 minutes | **Quantité** 4 portions

PAR PORTION	
Calories	473
Protéines	23 g
M.G.	15 g
Glucides	68 g
Fibres	7 g
Fer	11 mg
Calcium	884 mg
Sodium	1140 mg

1	paquet de vermicelles de riz de 300 g
30 ml	(2 c. à soupe) d'huile de canola
8	pois sucrés émincés
2	bok choys émincés
1	brocoli coupé en bouquets
1	carotte coupée en rondelles
1	oignon tranché
1	bloc de tofu ferme de 454 g, coupé en cubes
60 ml	(¼ de tasse) d'oignons verts émincés
15 ml	(1 c. à soupe) de graines de sésame rôties

Pour la sauce :

80 ml	(⅓ de tasse) de sauce soya réduite en sodium
45 ml	(3 c. à soupe) de cassonade
45 ml	(3 c. à soupe) de vinaigre de riz
15 ml	(1 c. à soupe) de gingembre haché
10 ml	(2 c. à thé) d'ail haché
10 ml	(2 c. à thé) de sriracha
10 ml	(2 c. à thé) de fécule de maïs

1. Réhydrater les vermicelles de riz selon les indications de l'emballage. Égoutter.

2. Dans une grande poêle ou dans un wok, chauffer la moitié de l'huile à feu moyen. Cuire les pois sucrés, les bok choys, le brocoli, la carotte et l'oignon de 4 à 5 minutes. Réserver dans une assiette.

3. Dans la même poêle, chauffer le reste de l'huile à feu moyen. Faire dorer les cubes de tofu sur toutes les faces de 8 à 10 minutes. Réserver dans une assiette.

4. Dans un bol, mélanger les ingrédients de la sauce.

5. Verser la sauce dans la poêle. Porter à ébullition, puis laisser mijoter jusqu'à épaississement.

6. Remettre le tofu et les légumes dans la poêle. Remuer pour bien les enrober de sauce.

7. Répartir les vermicelles de riz dans les bols. Garnir de préparation aux légumes et au tofu. Garnir d'oignons verts et de graines de sésame.

PAR PORTION	
Calories	247
Protéines	16 g
M.G.	11 g
Glucides	24 g
Fibres	5 g
Fer	3 mg
Calcium	244 mg
Sodium	50 mg

Galettes de tofu râpé

Préparation 20 minutes | **Cuisson** 16 minutes | **Quantité** 4 portions

30 ml (2 c. à soupe) de graines de lin moulues

1 petite courgette râpée

1 grosse pomme de terre râpée

½ bloc de tofu ferme de 454 g, râpé

1 petit panais râpé

1 grosse carotte râpée

45 ml (3 c. à soupe) de farine tout usage

10 ml (2 c. à thé) d'ail haché

10 ml (2 c. à thé) d'herbes italiennes séchées

Sel et poivre au goût

15 ml (1 c. à soupe) d'huile d'olive

Pour la sauce :

160 ml (⅔ de tasse) de yogourt grec nature 2 %

15 ml (1 c. à soupe) de menthe fraîche hachée

10 ml (2 c. à thé) d'ail haché

10 ml (2 c. à thé) de jus de citron frais

½ concombre râpé

Sel et poivre au goût

1. Dans un bol, mélanger les ingrédients de la sauce. Réserver au frais.

2. Dans un petit bol, préparer un œuf de lin en mélangeant les graines de lin avec 60 ml (¼ de tasse) d'eau.

3. Déposer la courgette et la pomme de terre sur un linge. Tordre le linge au-dessus de l'évier pour extraire le maximum d'eau.

4. Dans un grand bol, mélanger la courgette avec la pomme de terre, le tofu, le panais, la carotte, la farine, l'ail, les herbes italiennes et l'œuf de lin. Saler, poivrer et remuer.

5. Façonner douze galettes en utilisant environ 60 ml (¼ de tasse) de préparation pour chacune d'elles.

6. Dans une grande poêle antiadhésive, chauffer l'huile à feu doux-moyen. Déposer les galettes en pressant légèrement. Cuire quelques galettes à la fois de 4 à 5 minutes de chaque côté.

7. Servir les galettes avec la sauce.

En à-côté
Salade légère à la pomme et graines de tournesol

Dans un saladier, fouetter 45 ml (3 c. à soupe) d'**huile d'olive** avec 30 ml (2 c. à soupe) de **vinaigre de cidre**, 10 ml (2 c. à thé) de **miel** et 5 ml (1 c. à thé) de **moutarde à l'ancienne**. Saler et poivrer. Ajouter 1 litre (4 tasses) de **mélange de laitues printanier** et ½ petit **oignon rouge** tranché, 1 **pomme** coupée en juliennes et 60 ml (¼ de tasse) de **graines de tournesol** rôties.

> Les graines de lin et l'eau sont utilisés comme agent liant, mais un œuf ferait aussi bien l'affaire !

PAR PORTION	
Calories	426
Protéines	17 g
M.G.	18 g
Glucides	54 g
Fibres	11 g
Fer	10 mg
Calcium	532 mg
Sodium	367 mg

Cari au tofu et patates douces à la mijoteuse

Préparation 25 minutes | **Cuisson à faible intensité** 6 heures
Cuisson à intensité élevée 6 minutes | **Quantité** 4 portions

1	boîte de lait de coco (de type Haiku) de 398 ml*
30 ml	(2 c. à soupe) de poudre de cari
1	boîte de tomates en dés de 540 ml
2	patates douces pelées et coupées en cubes
1	bloc de tofu extra-ferme de 454 g, coupé en cubes
½	aubergine coupée en cubes
1	oignon haché
2	carottes coupées en rondelles
80 ml	(⅓ de tasse) de raisins secs
375 ml	(1 ½ tasse) de pois verts surgelés
60 ml	(¼ de tasse) de persil frais haché

1. Dans la mijoteuse, mélanger le lait de coco avec la poudre de cari et les tomates en dés.

2. Ajouter les patates douces, le tofu, l'aubergine, l'oignon et les carottes. Remuer.

3. Couvrir et cuire de 6 à 7 heures à faible intensité.

4. Ajouter les raisins secs, les pois verts et le persil. Remuer. Couvrir et prolonger la cuisson de 6 minutes à intensité élevée.

* Le lait de coco Haiku est l'un des seuls qui supporte la cuisson de longue durée.

Pois chiches

Polyvalents et économiques, les pois chiches sont probablement la légumineuse la plus connue et la plus populaire. On vous propose une foule de recettes pour les redécouvrir tout en misant sur le plaisir. Burgers de falafels, pizza méditerranéenne, plaque de pois chiches et légumes caramélisés, chow mein... Il n'aura jamais été aussi appétissant de combiner végé et gourmand !

Pois chiches

Bien qu'ils fassent partie des aliments de base de plusieurs types de cuisine, les pois chiches ont été adoptés relativement récemment par les Nord-Américains. Voici de bonnes raisons de les mettre au menu régulièrement !

C'est quoi ?

Appartenant à la famille des légumineuses, les pois chiches proviennent d'une plante annuelle herbacée (appartenant au genre fabacée) que l'on cultive pour ses graines dont la forme rappelle celle d'une tête de bélier. Comme beaucoup de légumineuses, les pois chiches proposent une texture farineuse et un goût révélant de subtiles notes de noisette. Si l'Asie du Sud et la région méditerranéenne constituent les deux principaux centres d'origine des pois chiches, en 2011, le Canada a été reconnu comme le neuvième plus grand producteur mondial de pois chiches.

En cuisine

Mijotés et soupes : les pois chiches se prêtent bien aux plats mijotés (tajines, chilis, versions végétariennes du Général Tao et du poulet au beurre, etc.), car ils absorbent les saveurs en cours de cuisson.

Sandwichs : les pois chiches peuvent entrer dans la composition de divers sandwichs (burgers, falafels, etc.), qu'ils aient préalablement été réduits en purée (houmous) ou non.

Salade : les pois chiches peuvent être ajoutés aux salades, peu importe qu'elles soient à base de verdure, de pâtes, de riz ou de couscous. Les pois chiches peuvent aussi être rôtis et aromatisés (avec de la poudre de chili, de la poudre d'oignon, du cumin, de l'ail, etc.) avant d'être ajoutés aux salades.

Valeurs nutritives

En plus d'être faibles en gras, les pois chiches peuvent se vanter d'être à la fois très riches en protéines et en fibres. En effet, dans chaque portion de 125 ml (½ tasse) de pois chiches bouillis, on trouve 7,7 g de protéines, 4 g de fibres et 2,2 g de lipides. Les pois chiches bouillis contiennent également du fer, du zinc, du cuivre, du manganèse, du potassium et du magnésium. Enfin, les pois chiches sont riches en vitamines B1, B2 et B6.

Qu'est-ce que l'aquafaba?

Le mot « aquafaba » est une contraction des mots *aqua* (eau) et *faba* (fabacées). L'aquafaba est donc le liquide résultant de la cuisson ou de la macération des pois chiches. Il y a quelques années, des chercheurs ont découvert que la protéine de pois chiches contenue dans l'aquafaba avait, tout comme l'œuf, un pouvoir liant. On l'utilise par exemple pour créer des mousses et des meringues exemptes d'œufs. Ainsi, l'aquafaba peut être utilisé comme agent liant en remplacement des œufs dans vos recettes.

Tout savoir sur les légumineuses

Santé

De nombreuses études ont permis de démontrer qu'une consommation régulière de légumineuses était associée à un risque moindre de développer des maladies cardiovasculaires ou un cancer colorectal. La consommation régulière de légumineuses permettrait également un meilleur contrôle du diabète.

Sécurité

Il peut arriver que les emballages des légumineuses sèches contiennent des légumineuses endommagées ou encore des petits cailloux, des brindilles ou de la poussière. Pour cette raison, il est préférable d'étaler les légumineuses sur une surface plane pour les soumettre à un triage manuel, puis de les rincer avant de les utiliser.

Digestion

Afin d'éviter les problèmes de digestion, plus précisément les flatulences que peut engendrer la consommation de légumineuses, il suffit de respecter certains principes de base.

• Trempage

S'il s'agit de légumineuses sèches qui requièrent une période de trempage, il importe de changer l'eau une ou deux fois en cours de trempage et de ne pas réutiliser l'eau de trempage pour la cuisson.

Le niveau de l'eau doit dépasser les légumineuses d'au moins 10 cm (4 po), puisque ces dernières doubleront de volume pendant le trempage.

• Rinçage

Tout comme pour les légumineuses en conserve, il est fortement suggéré de rincer les légumineuses sèches après la période de trempage avant de les ajouter à nos plats.

• Cuisson

Les légumineuses crues contiennent une petite quantité de substances toxiques qui les rendent indigestes. Ces substances sont éliminées lors de la cuisson, ce qui rend les légumineuses plus faciles à digérer. Les légumineuses sont bien cuites lorsque leur centre n'est ni crayeux ni farineux.

Ratatouille de pois chiches

Préparation 20 minutes | **Cuisson** 23 minutes | **Quantité** 4 portions

PAR PORTION	
Calories	517
Protéines	18 g
M.G.	14 g
Glucides	85 g
Fibres	17 g
Fer	5 mg
Calcium	131 mg
Sodium	919 mg

30 ml	(2 c. à soupe) d'huile d'olive
1	oignon coupé en dés
15 ml	(1 c. à soupe) d'ail haché
3	demi-poivrons de couleurs variées coupés en cubes
1	petite aubergine coupée en cubes
4	tomates italiennes épépinées et coupées en dés
15 ml	(1 c. à soupe) de paprika
500 ml	(2 tasses) de sauce tomate
1	feuille de laurier
5 ml	(1 c. à thé) de thym frais haché
1,25 ml	(¼ de c. à thé) de flocons de piment
	Sel au goût
1	boîte de pois chiches de 540 ml, rincés et égouttés
2	petites courgettes coupées en demi-rondelles

Pour le couscous :

250 ml	(1 tasse) de bouillon de légumes
45 ml	(3 c. à soupe) de persil frais haché
5 ml	(1 c. à thé) d'épices à couscous
	Sel et poivre au goût
250 ml	(1 tasse) de couscous
15 ml	(1 c. à soupe) d'huile d'olive

1. Dans une casserole, chauffer l'huile à feu moyen. Cuire l'oignon et l'ail de 1 à 2 minutes.

2. Ajouter les poivrons et l'aubergine. Poursuivre la cuisson de 2 à 3 minutes.

3. Ajouter les tomates, le paprika, la sauce tomate, les fines herbes et les flocons de piment. Saler. Porter à ébullition, puis laisser mijoter de 15 à 18 minutes à feu doux-moyen.

4. Ajouter les pois chiches et les courgettes. Prolonger la cuisson de 5 à 8 minutes.

5. Dans une casserole, porter à ébullition le bouillon de légumes avec le persil frais haché et les épices à couscous. Saler, poivrer et remuer.

6. Dans un bol, mélanger le couscous avec d'huile d'olive.

7. Verser le bouillon chaud sur le couscous. Couvrir et laisser reposer 5 minutes avant de remuer avec une fourchette.

8. Servir la ratatouille avec le couscous.

Soupe-repas pois chiches et orzo

Préparation 15 minutes | **Cuisson** 11 minutes | **Quantité** 4 portions

PAR PORTION	
Calories	359
Protéines	13 g
M.G.	6 g
Glucides	66 g
Fibres	10 g
Fer	3 mg
Calcium	86 mg
Sodium	1107 mg

15 ml (1 c. à soupe) d'huile d'olive

1 oignon haché

3 carottes coupées en dés

10 ml (2 c. à thé) d'ail haché

1,5 litre (6 tasses) de bouillon de légumes

180 ml (¾ de tasse) d'orzo

1 boîte de pois chiches de 540 ml, rincés et égouttés

30 ml (2 c. à soupe) de jus de citron frais

250 ml (1 tasse) de bébés épinards

15 ml (1 c. à soupe) d'aneth frais haché

Sel et poivre au goût

1. Dans une grande casserole, chauffer l'huile à feu moyen. Cuire l'oignon et les carottes de 3 à 4 minutes.

2. Ajouter l'ail. Poursuivre la cuisson 1 minute.

3. Ajouter le bouillon de légumes, l'orzo et les pois chiches. Porter à ébullition, puis remuer et laisser mijoter de 7 à 8 minutes à feu doux, jusqu'à ce que l'orzo soit *al dente*.

4. Ajouter le jus de citron, les épinards et l'aneth. Saler, poivrer et remuer.

>> Garnissez votre soupe de copeaux de parmesan pour y ajouter des protéines !

Pitas de pois chiches et courgettes grillées sur houmous

Préparation 20 minutes | **Cuisson** 4 minutes | **Quantité** 4 portions

PAR PORTION	
Calories	462
Protéines	17 g
M.G.	22 g
Glucides	57 g
Fibres	13 g
Fer	4 mg
Calcium	145 mg
Sodium	580 mg

15 ml	(1 c. à soupe) d'huile d'olive
10 ml	(2 c. à thé) d'assaisonnements à la grecque
1	boîte de pois chiches de 540 ml, rincés et égouttés
1	petite courgette coupée en dés
	Sel et poivre au goût
4	pitas de blé entier
1	contenant de houmous de 260 g

Pour la salade :

15 ml	(1 c. à soupe) d'huile d'olive
15 ml	(1 c. à soupe) de vinaigre de vin rouge
5 ml	(1 c. à thé) d'origan frais haché
1	tomate coupée en dés
½	petit oignon rouge haché
½	concombre coupé en rondelles

Pour la sauce :

45 ml	(3 c. à soupe) de tahini (beurre de sésame)
30 ml	(2 c. à soupe) de jus de citron frais
15 ml	(1 c. à soupe) de sirop d'érable
10 ml	(2 c. à thé) d'ail haché

1. Dans un bol, mélanger les ingrédients de la sauce avec 60 ml (¼ de tasse) d'eau. Réserver au frais.

2. Dans un saladier, mélanger les ingrédients de la salade. Réserver au frais.

3. Dans un autre bol, mélanger l'huile d'olive avec les assaisonnements à la grecque. Ajouter les pois chiches et la courgette. Saler, poivrer et remuer.

4. Chauffer une grande poêle à feu moyen. Cuire la préparation aux pois chiches de 4 à 5 minutes. Retirer du feu et laisser tiédir.

5. Garnir les pitas de houmous, de la préparation aux pois chiches, de salade et de sauce.

Version maison
Houmous à la coriandre et au citron

Rincer 1 boîte de **pois chiches** de 540 ml à l'eau froide. Égoutter et assécher les pois chiches avec du papier absorbant. Dans le contenant du robot culinaire, déposer les pois chiches. Ajouter 80 ml (⅓ de tasse) d'**huile d'olive**, 30 ml (2 c. à soupe) de **tahini (beurre de sésame)**, 30 ml (2 c. à soupe) de **coriandre fraîche** hachée, 45 ml (3 c. à soupe) de **jus de citron frais**, 15 ml (1 c. à soupe) de **zestes de citron**, 10 ml (2 c. à thé) d'**ail** haché et 1,25 ml (¼ de c. à thé) de **cumin**. Saler et poivrer. Mélanger de 1 à 2 minutes, jusqu'à l'obtention d'une texture lisse.

Orzo de pois chiches et feta croustillante

Préparation 20 minutes | **Cuisson** 12 minutes | **Quantité** 4 portions

PAR PORTION	
Calories	826
Protéines	30 g
M.G.	34 g
Glucides	105 g
Fibres	12 g
Fer	8 mg
Calcium	382 mg
Sodium	615 mg

375 ml (1 ½ tasse) d'orzo

60 ml (¼ de tasse) d'huile d'olive

60 ml (¼ de tasse) de basilic frais haché

Sel et poivre au goût

45 ml (3 c. à soupe) de fécule de maïs

1 contenant de feta de 200 g, coupée en quatre tranches

1 boîte de pois chiches de 540 ml, rincés et égouttés

1 botte d'asperges coupées en tronçons

10 ml (2 c. à thé) d'ail haché

5 ml (1 c. à thé) de thym frais haché

2,5 ml (½ c. à thé) de paprika fumé doux

15 ml (1 c. à soupe) de zestes de citron

30 ml (2 c. à soupe) de jus de citron frais

180 ml (¾ de tasse) de crème sure 14 %

30 ml (2 c. à soupe) d'oignon vert haché

1. Dans une grande casserole d'eau bouillante salée, cuire l'orzo *al dente*. Égoutter. Ajouter 15 ml (1 c. à soupe) d'huile et le basilic. Saler, poivrer et remuer.

2. Pendant ce temps, déposer la fécule dans un bol. Tremper les tranches de feta dans la fécule et remuer pour bien les en enrober. Secouer pour retirer l'excédent de fécule.

3. Dans une grande poêle, chauffer 30 ml (2 c. à soupe) d'huile à feu moyen. Cuire les tranches de feta de 2 à 3 minutes de chaque côté. Réserver dans une assiette.

4. Dans la même poêle nettoyée, chauffer le reste de l'huile à feu moyen. Cuire les pois chiches de 4 à 5 minutes en remuant de temps en temps.

5. Ajouter les asperges, l'ail, le thym, le paprika fumé et les zestes de citron. Poursuivre la cuisson de 4 à 5 minutes. Saler, poivrer et remuer.

6. Dans un bol, mélanger le jus de citron avec la crème sure.

7. Répartir l'orzo dans quatre bols. Garnir de la préparation aux pois chiches, de feta, de crème sure parfumée au citron et d'oignon vert.

Burgers de falafels

Préparation 25 minutes | **Cuisson** 18 minutes | **Quantité** 4 portions

PAR PORTION	
Calories	404
Protéines	17 g
M.G.	13 g
Glucides	59 g
Fibres	9 g
Fer	4 mg
Calcium	261 mg
Sodium	388 mg

1	petit oignon rouge
30 ml	(2 c. à soupe) d'huile d'olive
4	pains à hamburger
¼	de concombre coupé en tranches
8	petites feuilles de laitue Boston

Pour la sauce :

125 ml	(½ tasse) de yogourt grec nature 2 %
15 ml	(1 c. à soupe) de jus de citron frais
15 ml	(1 c. à soupe) d'ail haché
15 ml	(1 c. à soupe) de menthe fraîche hachée

Pour les galettes :

1	boîte de pois chiches de 540 ml, rincés et égouttés
1	œuf
80 ml	(⅓ de tasse) de flocons d'avoine
60 ml	(¼ de tasse) d'oignons verts hachés
15 ml	(1 c. à soupe) d'ail haché
5 ml	(1 c. à thé) de poudre de chili
5 ml	(1 c. à thé) d'origan frais haché
5 ml	(1 c. à thé) de cumin
	Sel et poivre au goût

1. Préchauffer le four à 180 °C (350 °F).

2. Dans un bol, mélanger les ingrédients de la sauce. Réserver au frais.

3. Couper l'oignon en quatre tranches d'environ 1 cm (½ po) d'épaisseur.

4. Dans une poêle, chauffer 15 ml (1 c. à soupe) d'huile à feu moyen. Cuire les tranches d'oignon de 3 à 4 minutes de chaque côté. Réserver.

5. Dans le contenant du robot culinaire, déposer les ingrédients des galettes. Mélanger de 1 à 2 minutes en raclant les parois du contenant quelques fois, jusqu'à l'obtention d'une texture lisse. Façonner quatre galettes avec la préparation.

6. Dans une grande poêle, chauffer le reste de l'huile à feu moyen. Cuire les galettes de 3 à 4 minutes de chaque côté.

7. Transférer les galettes sur une plaque de cuisson tapissée de papier parchemin. Poursuivre la cuisson au four de 5 à 7 minutes, jusqu'à ce que l'intérieur des galettes soit chaud.

8. Dans la même poêle, faire griller légèrement les pains sur toutes les faces de 1 à 2 minutes.

9. Garnir les pains de sauce, des galettes, de tranches de concombre, d'oignon rouge et de laitue.

En à-côté
Taboulé

Réhydrater 160 ml (⅔ de tasse) de **boulgour** selon les indications de l'emballage. Laisser tiédir. Couper 3 **tomates** en dés. Hacher ½ **oignon rouge**, 250 ml (1 tasse) de **persil frais** et 60 ml (¼ de tasse) de **menthe fraîche**. Dans un saladier, mélanger tous les ingrédients avec 15 ml (1 c. à soupe) d'**huile d'olive** et 15 ml (1 c. à soupe) de **jus de citron frais**. Saler, poivrer et remuer.

PAR PORTION	
Calories	691
Protéines	15 g
M.G.	28 g
Glucides	91 g
Fibres	9 g
Fer	2 mg
Calcium	153 mg
Sodium	1035 mg

Risotto aux pois chiches et tomates rôties

Préparation 20 minutes | **Cuisson** 20 minutes | **Quantité** 4 portions

1 litre (4 tasses) de bouillon de légumes

15 ml (1 c. à soupe) d'huile d'olive

60 ml (¼ de tasse) d'échalotes sèches (françaises) hachées

10 ml (2 c. à thé) d'ail haché

375 ml (1 ½ tasse) de riz arborio

80 ml (⅓ de tasse) de vin blanc

30 ml (2 c. à soupe) de beurre

80 ml (⅓ de tasse) de parmesan râpé

30 ml (2 c. à soupe) de pesto de basilic

Sel et poivre au goût

Pour les pois chiches rôtis et tomates :

750 ml (3 tasses) de tomates cerises coupées en deux

45 ml (3 c. à soupe) d'huile olive

5 ml (1 c. à thé) d'herbes italiennes séchées

1 boîte de pois chiches de 540 ml, rincés et égouttés

Sel et poivre au goût

1. Préchauffer le four à 205 °C (400 °F).

2. Dans un bol, mélanger les tomates cerises avec la moitié de l'huile et les herbes italiennes. Déposer la préparation sur une plaque de cuisson tapissée de papier parchemin.

3. Dans le même bol, mélanger les pois chiches avec le reste de l'huile. Ajouter la préparation sur la plaque contenant les tomates cerises. Saler et poivrer.

4. Cuire au four de 20 à 25 minutes.

5. Pendant ce temps, porter le bouillon de légumes à ébullition dans une casserole. Réduire l'intensité du feu et maintenir le bouillon frémissant (il doit rester chaud tout au long de la préparation).

6. Dans une autre casserole, chauffer l'huile à feu moyen. Cuire les échalotes et l'ail 1 minute.

7. Ajouter le riz. Poursuivre la cuisson de 1 à 2 minutes en remuant.

8. Ajouter le vin blanc et laisser mijoter jusqu'à ce que le liquide soit presque complètement absorbé.

9. Verser 250 ml (1 tasse) de bouillon chaud dans la casserole et poursuivre la cuisson à feu moyen en remuant sans arrêt, jusqu'à ce que le liquide soit complètement absorbé. Répéter cette opération en versant 250 ml (1 tasse) de bouillon à la fois et en remuant constamment, jusqu'à ce qu'il n'y ait plus de bouillon et que le riz soit crémeux.

10. Hors du feu, incorporer le beurre, le parmesan et le pesto. Saler, poivrer et remuer.

11. Garnir le risotto de la préparation aux tomates et pois chiches.

Pizza méditerranéenne

Préparation 15 minutes │ **Cuisson** 20 minutes │ **Quantité** 4 portions

PAR PORTION	
Calories	477
Protéines	19 g
M.G.	17 g
Glucides	68 g
Fibres	8 g
Fer	6 mg
Calcium	104 mg
Sodium	1144 mg

450 g	(1 lb) de pâte à pizza du commerce
80 ml	(⅓ de tasse) de sauce marinara
1	tomate tranchée
1	petit poivron rouge tranché
½	boîte de pois chiches de 540 ml, rincés et égouttés
½	boîte de cœurs d'artichauts de 398 ml, égouttés et coupés en quartiers
½	petit oignon rouge tranché
60 ml	(¼ de tasse) d'olives Kalamata tranchées
100 g	(3 ½ oz) de fromage de chèvre émietté
	Sel et poivre au goût
60 ml	(¼ de tasse) de basilic frais haché

1. Préchauffer le four à 205 °C (400 °F).

2. Sur une surface farinée, étirer la pâte à pizza en un cercle de 35 cm (14 po) de diamètre. Déposer la pâte sur une plaque de cuisson tapissée de papier parchemin.

3. Garnir la pâte de sauce marinara, de tomate, de poivron, de pois chiches, de cœurs d'artichauts, d'oignon rouge, d'olives et de fromage de chèvre. Saler et poivrer.

4. Cuire au four de 20 à 22 minutes, jusqu'à ce que la pâte soit dorée.

5. Au moment de servir, garnir de basilic.

Salade de pois chiches barbecue

Préparation 20 minutes | **Cuisson** 8 minutes | **Quantité** 4 portions

PAR PORTION	
Calories	437
Protéines	13 g
M.G.	15 g
Glucides	65 g
Fibres	12 g
Fer	3 mg
Calcium	116 mg
Sodium	567 mg

2	boîtes de pois chiches de 398 ml chacune, rincés et égouttés
125 ml	(½ tasse) de sauce barbecue
1,25 litre	(5 tasses) de laitue romaine déchiquetée
375 ml	(1 ½ tasse) de maïs en grains
250 ml	(1 tasse) de chou rouge râpé
1	petit oignon rouge haché
1	carotte râpée
60 ml	(¼ de tasse) de coriandre fraîche hachée

Pour la vinaigrette :

60 ml	(¼ de tasse) de mayonnaise
30 ml	(2 c. à soupe) de crème sure 14 %
15 ml	(1 c. à soupe) de jus de citron frais
15 ml	(1 c. à soupe) de persil frais haché
10 ml	(2 c. à thé) d'aneth frais haché
5 ml	(1 c. à thé) de poudre d'oignon
2,5 ml	(½ c. à thé) de poudre d'ail
2,5 ml	(½ c. à thé) de moutarde de Dijon
	Sel et poivre au goût

1. Dans une poêle, mélanger les pois chiches avec la sauce barbecue. Cuire de 8 à 10 minutes à feu moyen en remuant régulièrement, jusqu'à ce que la sauce soit épaisse et collante.

2. Dans un bol, fouetter les ingrédients de la vinaigrette.

3. Dans un grand saladier, mélanger la laitue avec le maïs, le chou rouge, l'oignon, la carotte et la coriandre.

4. Répartir la salade dans les assiettes. Garnir de la préparation aux pois chiches et napper de vinaigrette.

Chow mein de pois chiches et légumes

Préparation 20 minutes | **Cuisson** 6 minutes | **Quantité** 4 portions

250 g	(environ ½ lb) de nouilles chinoises
15 ml	(1 c. à soupe) d'huile de canola
1	petit oignon rouge coupé en quartiers
2	carottes coupées en biseaux
3	demi-poivrons de couleurs variées coupées en lanières
125 ml	(½ tasse) de pois mange-tout
125 ml	(½ tasse) de chou rouge émincé
10 ml	(2 c. à thé) d'ail haché
1	boîte de pois chiches de 540 ml, rincés et égouttés
250 ml	(1 tasse) de fèves germées

Pour la sauce :

125 ml	(½ tasse) de bouillon de légumes
30 ml	(2 c. à soupe) de sauce soya
15 ml	(1 c. à soupe) de sauce hoisin
5 ml	(1 c. à thé) de gingembre haché
5 ml	(1 c. à thé) d'huile de sésame grillé
5 ml	(1 c. à thé) de cassonade
5 ml	(1 c. à thé) de fécule de maïs

1. Cuire les nouilles chinoises selon les indications de l'emballage. Égoutter.

2. Dans un bol, mélanger les ingrédients de la sauce.

3. Dans une grande poêle, chauffer l'huile de canola à feu moyen. Cuire l'oignon, les carottes, les poivrons, les pois mange-tout et le chou de 3 à 4 minutes.

4. Ajouter l'ail. Poursuivre la cuisson 1 minute.

5. Ajouter les pois chiches, les fèves germées et la sauce. Porter à ébullition, puis laisser mijoter de 2 à 3 minutes.

6. Ajouter les nouilles et remuer.

Casserole de riz et pois chiches

Préparation 20 minutes | **Cuisson** 21 minutes | **Quantité** 4 portions

PAR PORTION	
Calories	656
Protéines	25 g
M.G.	22 g
Glucides	90 g
Fibres	11 g
Fer	3 mg
Calcium	378 mg
Sodium	1391 mg

15 ml (1 c. à soupe) d'huile d'olive

1 oignon haché

2 branches de céleri coupées en dés

2 carottes coupées en dés

250 ml (1 tasse) de pois verts

10 ml (2 c. à thé) d'ail haché

10 ml (2 c. à thé) d'herbes italiennes séchées

1 boîte de pois chiches de 540 ml, rincés et égouttés

500 ml (2 tasses) de bouillon de légumes

1 boîte de crème de céleri de 284 ml

250 ml (1 tasse) de riz blanc à grains longs

Sel et poivre au goût

375 ml (1 ½ tasse) de mélange de fromages italiens râpés

125 ml (½ tasse) de chapelure nature

15 ml (1 c. à soupe) de beurre fondu

1. Dans une grande casserole, chauffer l'huile à feu moyen. Cuire l'oignon, le céleri et les carottes de 3 à 4 minutes.

2. Ajouter les pois verts, l'ail, les herbes italiennes et les pois chiches. Poursuivre la cuisson 1 minute.

3. Ajouter le bouillon, la crème de céleri et le riz. Saler, poivrer et remuer. Porter à ébullition, puis couvrir et laisser mijoter de 15 à 18 minutes, jusqu'à ce que le riz soit cuit.

4. Transférer la préparation dans un plat de cuisson. Couvrir de fromage.

5. Dans un petit bol, mélanger la chapelure avec le beurre. Répartir sur le fromage.

6. Régler le four à la position « gril » (*broil*). Faire gratiner au four de 2 à 3 minutes, jusqu'à ce que la chapelure et le fromage soient légèrement dorés.

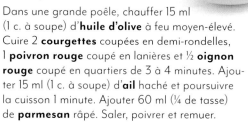

En à-côté

Sauté de légumes à l'ail et au parmesan

Dans une grande poêle, chauffer 15 ml (1 c. à soupe) d'**huile d'olive** à feu moyen-élevé. Cuire 2 **courgettes** coupées en demi-rondelles, 1 **poivron rouge** coupé en lanières et ½ **oignon rouge** coupé en quartiers de 3 à 4 minutes. Ajouter 15 ml (1 c. à soupe) d'**ail** haché et poursuivre la cuisson 1 minute. Ajouter 60 ml (¼ de tasse) de **parmesan** râpé. Saler, poivrer et remuer.

Cari de pois chiches et épinards

Préparation 15 minutes | **Cuisson** 12 minutes | **Quantité** 4 portions

PAR PORTION	
Calories	400
Protéines	10 g
M.G.	27 g
Glucides	36 g
Fibres	8 g
Fer	3 mg
Calcium	75 mg
Sodium	252 mg

15 ml	(1 c. à soupe) d'huile d'olive
1	oignon haché
15 ml	(1 c. à soupe) de gingembre haché
10 ml	(2 c. à thé) d'ail haché
15 ml	(1 c. à soupe) de poudre de cari
2,5 ml	(½ c. à thé) de garam masala
2,5 ml	(½ c. à thé) de cumin
2,5 ml	(½ c. à thé) de curcuma
1	boîte de lait de coco de 398 ml
45 ml	(3 c. à soupe) de pâte de tomates
2	tomates italiennes coupées en dés
1	boîte de pois chiches de 540 ml, rincés et égouttés
	Sel et poivre au goût
500 ml	(2 tasses) de bébés épinards
60 ml	(¼ de tasse) de petites feuilles de coriandre fraîche

1. Dans une grande casserole, chauffer l'huile d'olive à feu moyen. Cuire l'oignon, le gingembre et l'ail de 1 à 2 minutes.

2. Ajouter la poudre de cari, le garam masala, le cumin et le curcuma. Poursuivre la cuisson 30 secondes en remuant.

3. Ajouter le lait de coco, la pâte de tomates, les tomates et les pois chiches. Saler, poivrer et remuer. Porter à ébullition, puis laisser mijoter de 10 à 12 minutes à feu doux.

4. Ajouter les épinards et remuer.

5. Au moment de servir, garnir de feuilles de coriandre.

Le petit extra

Pains naan grillés à l'huile parfumée

Dans un bol, mélanger 30 ml (2 c. à soupe) d'**huile d'olive** avec 10 ml (2 c. à thé) d'**ail** haché, 5 ml (1 c. à thé) de **persil frais** haché et 2,5 ml (½ c. à thé) de **grains de coriandre** concassés. Badigeonner 4 **pains naan** d'huile parfumée. Saupoudrer de fleur de sel. Déposer les pains naan sur une plaque de cuisson tapissée de papier parchemin. Cuire au four de 6 à 8 minutes à 205 °C (400 °F) en retournant les pains à mi-cuisson, jusqu'à ce qu'ils soient dorés.

» Servez ce cari avec les pains naan proposés en accompagnement. Ce petit extra ajoutera 8 g de protéines à votre repas.

Bol de pois chiches shawarma

Préparation 30 minutes | **Marinage** 30 minutes | **Cuisson** 20 minutes | **Quantité** 4 portions

500 ml (2 tasses) de bouillon de légumes

250 ml (1 tasse) de riz basmati, rincé et égoutté

2 mini-concombres coupés en tranches

1 grosse tomate coupée en quartiers

30 ml (2 c. à soupe) de menthe fraîche hachée

Pour les oignons marinés :

30 ml (2 c. à soupe) de vinaigre de vin blanc

15 ml (1 c. à soupe) de sucre

1 oignon rouge émincé

Pour la sauce :

30 ml (2 c. à soupe) de tahini (beurre de sésame)

15 ml (1 c. à soupe) de jus de citron frais

15 ml (1 c. à soupe) d'ail haché

125 ml (½ tasse) de yogourt grec nature 2 %

80 ml (⅓ de tasse) de bouillon de légumes

Sel et poivre au goût

Pour le chou-fleur et pois chiches rôtis :

30 ml (2 c. à soupe) d'huile d'olive

5 ml (1 c. à thé) de cumin

5 ml (1 c. à thé) de paprika fumé doux

2,5 ml (½ c. à thé) de cardamome moulue

2,5 ml (½ c. à thé) de curcuma

2,5 ml (½ c. à thé) de poudre d'ail

1,25 ml (¼ de c. à thé) de cannelle

1 pincée de flocons de piment

1 chou-fleur coupé en bouquets

1 boîte de pois chiches de 540 ml, rincés et égouttés

Sel et poivre au goût

1. Dans un bol, mélanger le vinaigre pour les oignons marinés avec le sucre et 30 ml (2 c. à soupe) d'eau. Ajouter l'oignon rouge. Remuer. Laisser mariner au frais 30 minutes. Égoutter.

2. Dans un deuxième bol, mélanger le tahini pour la sauce avec le jus de citron et l'ail. Incorporer le yogourt et le bouillon de légumes. Saler, poivrer et remuer. Réserver au frais.

3. Préchauffer le four à 205 °C (400 °F).

4. Dans un troisième bol, mélanger l'huile pour le chou-fleur et pois chiches rôtis avec les épices. Ajouter le chou-fleur et les pois chiches. Saler, poivrer et remuer.

5. Transférer la préparation au chou-fleur sur une plaque de cuisson tapissée de papier parchemin. Cuire au four de 20 à 25 minutes en remuant quelques fois.

6. Pendant ce temps, porter le bouillon de légumes à ébullition dans une casserole. Ajouter le riz. Couvrir et laisser mijoter de 12 à 15 minutes à feu doux, jusqu'à ce que le bouillon soit complètement absorbé. Laisser reposer 5 minutes. Remuer à l'aide d'une fourchette.

7. Répartir le riz dans quatre bols. Répartir séparément la préparation aux pois chiches et chou-fleur, l'oignon mariné, les concombres et la tomate. Napper de sauce et parsemer de menthe.

Pois chiches et légumes caramélisés sur la plaque

Préparation 15 minutes | **Cuisson** 25 minutes | **Quantité** 4 portions

PAR PORTION	
Calories	474
Protéines	14 g
M.G.	13 g
Glucides	81 g
Fibres	15 g
Fer	3 mg
Calcium	133 mg
Sodium	259 mg

20	pommes de terre grelots coupées en deux
2	panais coupés en bâtonnets
1	sac de mini-carottes de 340 g
12 à 15	choux de Bruxelles coupés en deux
1	oignon rouge coupé en quartiers
1	boîte de pois chiches de 540 ml, rincés et égouttés
	Sel et poivre au goût

Pour la sauce :

45 ml	(3 c. à soupe) d'huile d'olive
30 ml	(2 c. à soupe) de miel
30 ml	(2 c. à soupe) de vinaigre balsamique
10 ml	(2 c. à thé) de moutarde à l'ancienne
10 ml	(2 c. à thé) d'ail haché
5 ml	(1 c. à thé) d'herbes italiennes séchées

1. Préchauffer le four à 205 °C (400 °F).

2. Dans un grand bol, fouetter les ingrédients de la sauce.

3. Ajouter les pommes de terre, les panais, les carottes, les choux de Bruxelles, l'oignon et les pois chiches. Saler, poivrer et remuer.

4. Tapisser une plaque de cuisson tapissée de papier parchemin, puis y déposer la préparation aux pommes de terre. Cuire au four de 25 à 30 minutes en remuant quelques fois en cours de cuisson.

Salade de pois chiches à l'asiatique

Préparation 20 minutes | **Cuisson** 15 minutes | **Quantité** 4 portions

PAR PORTION	
Calories	472
Protéines	14 g
M.G.	23 g
Glucides	59 g
Fibres	10 g
Fer	4 mg
Calcium	97 mg
Sodium	457 mg

180 ml (¾ de tasse) de bouillon de légumes

125 ml (½ tasse) de quinoa, rincé et égoutté

1 boîte de pois chiches de 540 ml, rincés et égouttés

250 ml (1 tasse) de carottes coupées en juliennes

125 ml (½ tasse) de chou rouge râpé

1 brocoli coupé en petits bouquets

1 poivron rouge coupé en lanières

1 oignon rouge tranché

125 ml (½ tasse) de noix de cajou

60 ml (¼ de tasse) d'oignons verts hachés

Pour la vinaigrette :

45 ml (3 c. à soupe) d'huile de canola

30 ml (2 c. à soupe) de jus de lime frais

15 ml (1 c. à soupe) de miel

15 ml (1 c. à soupe) de sauce soya

10 ml (2 c. à thé) de gingembre haché

5 ml (1 c. à thé) d'ail haché

5 ml (1 c. à thé) d'huile de sésame grillé

½ petit piment thaï émincé

1. Dans une casserole, porter le bouillon de légumes à ébullition. Ajouter le quinoa. Couvrir et laisser mijoter de 15 à 18 minutes à feu doux, jusqu'à ce que le bouillon soit complètement absorbé. Laisser reposer 5 minutes avant de remuer à l'aide d'une fourchette. Laisser tiédir.

2. Dans un grand bol, fouetter les ingrédients de la vinaigrette.

3. Ajouter le quinoa cuit, les pois chiches, les légumes et les noix de cajou. Remuer.

4. Au moment de servir, garnir d'oignons verts.

Mijoté de pois chiches et tofu aux arachides

Préparation 20 minutes | **Cuisson** 13 minutes | **Quantité** 4 portions

PAR PORTION	
Calories	752
Protéines	40 g
M.G.	28 g
Glucides	91 g
Fibres	13 g
Fer	7 mg
Calcium	543 mg
Sodium	1030 mg

15 ml — (1 c. à soupe) d'huile de canola

1 — contenant de champignons blancs de 227 g, coupés en quatre

1 — bloc de tofu ferme de 454 g, coupé en cubes

1 — boîte de pois chiches de 540 ml, rincés et égouttés

1 — oignon haché

1 — carotte coupée en juliennes

2 — bok choys tranchés

15 ml — (1 c. à soupe) d'ail haché

15 ml — (1 c. à soupe) de gingembre râpé

Sel et poivre au goût

200 g — (environ ½ lb) de vermicelles de riz

30 ml — (2 c. à soupe) de coriandre fraîche hachée

15 ml — (1 c. à soupe) de graines de sésame rôties

Pour la sauce :

80 ml — (⅓ de tasse) de beurre d'arachide

60 ml — (¼ de tasse) de bouillon de légumes

45 ml — (3 c. à soupe) de sauce soya

30 ml — (2 c. à soupe) de jus de lime frais

30 ml — (2 c. à soupe) de cassonade

15 ml — (1 c. à soupe) de vinaigre de riz

1. Dans une casserole, mélanger les ingrédients de la sauce. Chauffer à feu doux en remuant de temps en temps, jusqu'à l'obtention d'une texture lisse. Réserver au chaud.

2. Dans une grande poêle, chauffer l'huile à feu moyen-élevé. Cuire les champignons de 5 à 7 minutes. Réserver dans une assiette.

3. Dans la même poêle, faire rôtir le tofu et les pois chiches de 5 à 7 minutes.

4. Ajouter l'oignon, la carotte, les bok choys, l'ail et le gingembre. Poursuivre la cuisson de 2 à 3 minutes.

5. Ajouter la sauce et les champignons dans la poêle. Remuer. Poursuivre la cuisson de 1 à 2 minutes.

6. Pendant ce temps, réhydrater les vermicelles de riz selon les indications de l'emballage. Égoutter.

7. Répartir les vermicelles dans les assiettes. Garnir de la préparation aux pois chiches et tofu, de coriandre et de graines de sésame.

Lentilles

Qu'elles soient rouges, vertes ou brunes, sèches ou en conserve, les lentilles sont des plus appréciées pour leur goût et leur apport nutritionnel. Très riches en protéines, notamment, elles sont les complices idéales d'une alimentation végétarienne. Vous les apprécierez davantage avec nos suggestions de recettes, qu'elles soient camouflées dans une sauce à spaghetti ou des boulettes, ou encore mises en valeur dans un pâté de lentilles aux champignons !

Lentilles

Rouges, roses, corail, jaunes, vertes... Qu'ont en commun les multiples variétés en lesquelles se déclinent les lentilles ? Des qualités nutritives exceptionnelles et l'avantage de pouvoir se glisser dans une foule de recettes !

C'est quoi ?

Les lentilles font partie de la très vaste famille des légumineuses. Bien qu'elles soient originaires d'Asie, on les cultive aujourd'hui au Canada, en Turquie, en Inde, en Chine et en Syrie. Leur forme, leur taille et leur couleur diffèrent d'une variété à l'autre, mais la plupart d'entre elles présentent une forme de disque rond et légèrement bombé. Leur texture est farineuse et leur goût révèle des notes de noisettes accompagnées d'un subtil parfum boisé.

Valeurs nutritives

Aussi petites soient-elles, les lentilles renferment une quantité impressionnante de nutriments essentiels. Parmi ses atouts les plus importants, notons leur apport très intéressant en protéines et en fibres alimentaires ainsi que leur taux de gras très faible. Dans chaque portion de 125 ml (½ tasse) de lentilles bouillies, on trouve 9,4 g de protéines et 4 g de fibres. Pour la même quantité, on trouve 3,5 mg de fer, ce qui correspond à 44 % des apports quotidiens recommandés pour les hommes, et à 19 % pour les femmes. Il s'agit donc d'une excellente source de fer pour l'homme et d'une bonne source de fer pour la femme. Le fer contenu dans les lentilles étant de type non héminique et donc moins facilement absorbé par l'organisme humain, il est préférable de le jumeler à une source de vitamine C. Enfin, les lentilles contiennent des antioxydants, des folates et du phosphore.

Une portion de lentilles, c'est quoi ?

Les lentilles étant particulièrement protéinées et riches en fibres, il n'est pas nécessaire de les consommer en très grande quantité pour être rassasié. **Une portion de 250 ml (1 tasse) à 375 ml (1 ½ tasse) de lentilles cuites correspond à une portion pour un repas.** Si les lentilles sont plutôt servies en accompagnement, calculez alors 125 ml (½ tasse) de lentilles cuites par personne.

Quelques particularités

Voici ce que proposent les trois variétés les plus fréquemment utilisées ainsi que quelques idées pour les mettre au menu.

Corail (rouges)

Les lentilles corail, aussi appelées lentilles rouges, ont un goût légèrement poivré. Elles se décomposent généralement lors de la cuisson.

En cuisine : elles entrent souvent dans la composition des mets d'inspiration indienne, comme le traditionnel dhal, un mets à base de lentilles corail broyées et aromatisées au cumin, au garam masala et au curcuma.

Brunes

Les lentilles brunes sont la plupart du temps vendues en conserve. Elles maintiennent leur forme pendant la cuisson.

En cuisine : elles sont souvent mélangées à du riz ou à du couscous dans les salades, mais peuvent aussi remplacer la viande hachée dans de nombreuses recettes (sauce à spaghetti, pain de viande, etc.).

Vertes

Les lentilles vertes sont légèrement plus fermes que les autres variétés. Il existe des lentilles vertes petites, moyennes et grosses.

En cuisine : elles sont souvent ajoutées aux soupes et aux potages. Elles peuvent aussi entrer dans la composition des mijotés et des galettes végétariennes.

Les lentilles vertes du Puy, de très petite taille, sont produites par des cultivateurs français provenant de la commune du Puy-en-Velay (Haute-Loire). Elles bénéficient d'une appellation d'origine protégée (AOP) et peuvent être remplacées par des lentilles vertes de petite taille.

Conservation

Les lentilles sèches se conservent un an dans un contenant étanche entreposé au frais, au sec et à l'abri de la lumière. Les lentilles en conserve, elles, se conservent plusieurs années dans les mêmes conditions. Référez-vous toujours à la date de péremption indiquée sur l'emballage.

La cuisson des lentilles

Étant de plus petite taille que les autres légumineuses, les lentilles n'ont pas besoin d'être soumises à une période de trempage avant la cuisson. Il importe cependant de les rincer abondamment avant de les cuire pour les rendre plus digestes. Les lentilles brunes, noires et vertes entières mettent en général entre 30 et 45 minutes à cuire, tandis que les lentilles rouges et les lentilles cassées nécessitent de 10 à 15 minutes de cuisson. Les lentilles sont prêtes lorsqu'elles cèdent sous la pression d'une fourchette.

D'autres variétés à découvrir

- Lentilles blondes
- Lentilles jaunes
- Lentilles noires (béluga)
- Lentilles rouges
- Lentilles du Puy

Cigares au chou aux lentilles

Préparation 20 minutes | **Cuisson** 45 minutes | **Quantité** 4 portions

PAR PORTION	
Calories	379
Protéines	17 g
M.G.	12 g
Glucides	67 g
Fibres	13 g
Fer	4 mg
Calcium	108 mg
Sodium	526 mg

160 ml (⅔ de tasse) de bouillon de légumes

80 ml (⅓ de tasse) de riz blanc à grains longs

8 grandes feuilles de chou de Savoie

15 ml (1 c. à soupe) d'huile d'olive

1 oignon haché

2 carottes coupées en dés

1 branche de céleri coupée en dés

10 ml (2 c. à thé) d'ail haché

5 ml (1 c. à thé) de thym frais haché

Sel et poivre au goût

250 ml (1 tasse) de lentilles brunes en conserve, rincées et égouttées

500 ml (2 tasses) de sauce marinara

1. Préchauffer le four à 180 °C (350 °F).

2. Dans une casserole, porter le bouillon de légumes à ébullition. Ajouter le riz, puis couvrir et cuire de 15 à 18 minutes à feu doux, jusqu'à absorption complète du liquide. Laisser reposer 5 minutes avant de remuer à l'aide d'une fourchette.

3. Pendant ce temps, dans une grande casserole d'eau bouillante salée, blanchir les feuilles de chou 5 minutes. Refroidir sous l'eau froide et égoutter. Réserver.

4. Dans une poêle antiadhésive, chauffer l'huile à feu moyen. Cuire l'oignon, les carottes et le céleri de 2 à 3 minutes, jusqu'à tendreté.

5. Ajouter l'ail et le thym. Saler, poivrer et remuer. Poursuivre la cuisson 1 minute.

6. Ajouter les lentilles, le riz et la moitié de la sauce marinara.

7. Répartir la préparation au riz au centre des feuilles de chou. Rabattre les côtés des feuilles sur la farce et rouler en serrant.

8. Dans un plat de cuisson, verser le reste de la sauce marinara. Déposer les cigares au chou dans le plat, joint dessous. Couvrir d'une feuille de papier d'aluminium.

9. Cuire au four de 30 à 35 minutes.

PAR PORTION	
Calories	788
Protéines	35 g
M.G.	33 g
Glucides	96 g
Fibres	16 g
Fer	9 mg
Calcium	262 mg
Sodium	730 mg

Boulettes de lentilles, sauce aux poivrons rôtis

Préparation 25 minutes | **Temps de repos** 15 minutes | **Cuisson** 17 minutes
Quantité 4 portions

15 ml (1 c. à soupe) de graines de lin moulues

30 ml (2 c. à soupe) de bouillon de légumes

30 ml (2 c. à soupe) d'huile d'olive

1 oignon haché

10 ml (2 c. à thé) d'ail haché

1 boîte de lentilles brunes de 540 ml, rincées et égouttées

125 ml (½ tasse) de pacanes

80 ml (⅓ de tasse) de chapelure assaisonnée à l'italienne

80 ml (⅓ de tasse) de parmesan râpé

30 ml (2 c. à soupe) de pâte de tomates

Sel et poivre au goût

Pour la sauce :

15 ml (1 c. à soupe) d'huile d'olive

1 oignon haché

10 ml (2 c. à thé) d'ail haché

375 ml (1 ½ tasse) de poivrons rouges rôtis coupés en morceaux

250 ml (1 tasse) de crème à cuisson 15 %

5 ml (1 c. à thé) d'herbes italiennes séchées

Sel et poivre au goût

1. Préchauffer le four à 190 °C (375 °F).

2. Dans un bol, mélanger les graines de lin avec le bouillon. Laisser reposer 5 minutes.

3. Dans une grande poêle allant au four, chauffer la moitié de l'huile à feu moyen. Cuire l'oignon et l'ail de 1 à 2 minutes.

4. Dans le contenant du robot culinaire, déposer la préparation à l'oignon, les graines de lin, les lentilles, les pacanes, la chapelure, le parmesan et la pâte de tomates. Saler et poivrer. Mélanger jusqu'à l'obtention d'une texture homogène. Laisser reposer 10 minutes au frais.

5. Façonner douze boulettes avec la préparation aux lentilles.

6. Dans une poêle, chauffer le reste de l'huile à feu moyen. Faire dorer les boulettes sur toutes les faces de 4 à 5 minutes.

7. Poursuivre la cuisson au four de 12 à 15 minutes, en retournant les boulettes quelques fois en cours de cuisson.

8. Pendant ce temps, chauffer l'huile pour la sauce à feu moyen dans une casserole. Cuire l'oignon et l'ail de 1 à 2 minutes.

9. Ajouter les poivrons, la crème et les herbes italiennes dans la casserole. Saler, poivrer et remuer. Porter à ébullition, puis laisser mijoter de 8 à 10 minutes à feu doux.

10. Verser la sauce dans le contenant du mélangeur électrique. Mélanger de 1 à 2 minutes, jusqu'à l'obtention d'une texture lisse.

11. Servir les boulettes avec la sauce.

Soupe dhal aux lentilles corail

Préparation 15 minutes | **Cuisson** 23 minutes | **Quantité** 4 portions

PAR PORTION	
Calories	506
Protéines	17 g
M.G.	26 g
Glucides	58 g
Fibres	10 g
Fer	7 mg
Calcium	119 mg
Sodium	473 mg

15 ml (1 c. à soupe) d'huile de canola

1 oignon haché

2 carottes coupées en dés

15 ml (1 c. à soupe) de gingembre haché

15 ml (1 c. à soupe) d'ail haché

10 ml (2 c. à thé) de garam masala

5 ml (1 c. à thé) de poudre de cari

5 ml (1 c. à thé) de curcuma

1 boîte de tomates en dés de 540 ml

250 ml (1 tasse) de bouillon de légumes

1 boîte de lait de coco de 398 ml

30 ml (2 c. à soupe) de pâte de tomates

250 ml (1 tasse) de lentilles corail ou rouges sèches, rincées et égouttées

Sel et poivre au goût

30 ml (2 c. à soupe) de feuilles de coriandre fraîche

2 oignons verts émincés

1. Dans une grande casserole, chauffer l'huile à feu moyen. Cuire l'oignon et les carottes de 2 à 3 minutes.

2. Ajouter le gingembre, l'ail, le garam masala, la poudre de cari et le curcuma dans la casserole. Poursuivre la cuisson 1 minute en remuant.

3. Ajouter les tomates en dés, le bouillon de légumes, le lait de coco, la pâte de tomates et les lentilles. Saler, poivrer et remuer. Porter à ébullition en remuant, puis laisser mijoter de 20 à 25 minutes à feu doux, jusqu'à ce que les lentilles soient tendres.

4. Au moment de servir, garnir de coriandre et d'oignons verts.

Pâté de lentilles aux champignons et pommes de terre

Préparation 25 minutes | **Cuisson** 40 minutes | **Quantité** 4 portions

PAR PORTION	
Calories	478
Protéines	21 g
M.G.	12 g
Glucides	70 g
Fibres	10 g
Fer	6 mg
Calcium	131 mg
Sodium	590 mg

250 ml	(1 tasse) de lentilles brunes sèches, rincées et égouttées
4 à 5	pommes de terre pelées et coupées en cubes
	Sel et poivre au goût
125 ml	(½ tasse) de lait 2 %
30 ml	(2 c. à soupe) de beurre
30 ml	(2 c. à soupe) de parmesan râpé
15 ml	(1 c. à soupe) d'huile d'olive
1	contenant de champignons blancs de 227 g, coupés en quartiers
1	oignon haché
10 ml	(2 c. à thé) d'ail haché
125 ml	(½ tasse) de vin rouge
250 ml	(1 tasse) de bouillon de légumes
45 ml	(3 c. à soupe) de pâte de tomates
15 ml	(1 c. à soupe) de sauce soya
5 ml	(1 c. à thé) de thym frais haché

1. Préchauffer le four à 190 °C (375 °F).

2. Dans une casserole, déposer les lentilles. Ajouter 750 ml (3 tasses) d'eau et porter à ébullition. Couvrir et cuire de 20 à 25 minutes à feu doux, jusqu'à tendreté. Égoutter.

3. Pendant ce temps, déposer les pommes de terre dans une autre casserole. Couvrir d'eau froide et saler. Porter à ébullition, puis cuire de 10 à 15 minutes, jusqu'à tendreté. Égoutter.

4. Réduire les pommes de terre en purée avec le lait, le beurre et le parmesan. Saler, poivrer et remuer.

5. Dans une grande poêle, chauffer l'huile à feu moyen. Cuire les champignons de 4 à 6 minutes.

6. Ajouter l'oignon et l'ail. Poursuivre la cuisson de 1 à 2 minutes.

7. Ajouter le vin rouge et laisser mijoter jusqu'à ce que le liquide ait réduit de moitié.

8. Ajouter le bouillon de légumes, la pâte de tomates, la sauce soya et le thym. Porter à ébullition, puis laisser mijoter de 5 à 7 minutes. Ajouter les lentilles cuites. Saler, poivrer et remuer.

9. Dans un plat de cuisson, verser la préparation aux lentilles. Couvrir de purée de pommes de terre et égaliser la surface. Cuire au four de 20 à 25 minutes.

PAR PORTION	
Calories	486
Protéines	19 g
M.G.	15 g
Glucides	70 g
Fibres	10 g
Fer	5 mg
Calcium	151 mg
Sodium	547 mg

Mijoté de lentilles aux épinards

Préparation 20 minutes | **Cuisson** 29 minutes | **Quantité** 4 portions

15 ml	(1 c. à soupe) d'huile d'olive
1	oignon haché
2	carottes coupées en rondelles
2	branches de céleri coupées en dés
10 ml	(2 c. à thé) d'ail haché
45 ml	(3 c. à soupe) de farine tout usage
80 ml	(⅓ de tasse) de vin blanc
750 ml	(3 tasses) de bouillon de légumes
250 ml	(1 tasse) de lentilles vertes sèches, rincées et égouttées
15 à 20	pommes de terre grelots
15 ml	(1 c. à soupe) de persil frais haché
5 ml	(1 c. à thé) de thym frais haché
1	feuille de laurier
250 ml	(1 tasse) de crème à cuisson 15 %
500 ml	(2 tasses) de bébés épinards
	Sel et poivre au goût

1. Dans une grande casserole, chauffer l'huile à feu moyen. Cuire l'oignon, les carottes et le céleri de 3 à 4 minutes.

2. Ajouter l'ail et poursuivre la cuisson 30 secondes.

3. Saupoudrer de farine et remuer. Ajouter le vin blanc et laisser mijoter jusqu'à ce que le liquide ait réduit de moitié.

4. Ajouter le bouillon, les lentilles, les pommes de terre, le persil, le thym et le laurier. Porter à ébullition, puis couvrir et laisser mijoter de 20 à 25 minutes à feu doux, jusqu'à ce que les lentilles et les pommes de terre soient tendres.

5. Ajouter la crème et les bébés épinards. Saler, poivrer et remuer. Poursuivre la cuisson 5 minutes.

Spaghettinis, sauce aux lentilles

Préparation 20 minutes | **Cuisson** 37 minutes | **Quantité** 4 portions

PAR PORTION	
Calories	687
Protéines	32 g
M.G.	10 g
Glucides	119 g
Fibres	13 g
Fer	9 mg
Calcium	221 mg
Sodium	855 mg

15 ml	(1 c. à soupe) d'huile d'olive
1	oignon haché
1	carotte coupée en dés
1	branche de céleri coupée en dés
1	contenant de champignons blancs de 227 g, tranchés
15 ml	(1 c. à soupe) d'ail haché
1	boîte de tomates en dés de 540 ml
500 ml	(2 tasses) de bouillon de légumes
30 ml	(2 c. à soupe) de pâte de tomates
15 ml	(1 c. à soupe) d'herbes italiennes séchées
1	pincée de flocons de piment
250 ml	(1 tasse) de lentilles brunes sèches, rincées et égouttées
	Sel et poivre au goût
350 g	(environ ¾ de lb) de spaghettinis
125 ml	(½ tasse) de parmesan râpé
60 ml	(¼ de tasse) de feuilles de basilic frais

1. Dans une grande casserole, chauffer l'huile à feu moyen. Cuire l'oignon, la carotte et le céleri de 3 à 4 minutes.

2. Ajouter les champignons et l'ail. Poursuivre la cuisson de 4 à 5 minutes, jusqu'à évaporation complète du liquide.

3. Ajouter les tomates en dés, le bouillon de légumes, la pâte de tomates, les herbes italiennes, les flocons de piment et les lentilles. Porter à ébullition, puis couvrir et laisser mijoter de 30 à 40 minutes à feu doux, jusqu'à ce que les lentilles soient tendres et que la sauce ait épaissi. Saler, poivrer et remuer.

4. Pendant ce temps, cuire les spaghettinis *al dente* dans une casserole d'eau bouillante salée. Égoutter.

5. Servir les spaghettinis avec la sauce. Garnir de parmesan et de basilic au moment de servir.

Zoom sur...

La levure alimentaire

La levure alimentaire, 100 % végane, est utilisée comme condiment ou rehausseur de goût. Idéale pour aromatiser les recettes végétariennes, avec son parfum qui rappelle celui de la noisette ou du fromage, elle remplacerait le parmesan à merveille dans cette sauce à spaghetti végé ! Offerte en flocons ou en poudre, la levure alimentaire est une source de protéines, de fibres et de vitamines, en plus d'être faible en sodium, en cholestérol ainsi qu'en gras saturés. Utilisez-la dans les soupes, les vinaigrettes et les recettes de fromage végétal, ou saupoudrez-en sur une salade César... Les possibilités sont infinies, et vous conférerez plus de saveurs à vos recettes !

Sloppy Joe aux lentilles

Préparation 25 minutes | **Cuisson** 25 minutes | **Quantité** 4 portions

PAR PORTION	
Calories	585
Protéines	21 g
M.G.	26 g
Glucides	77 g
Fibres	21 g
Fer	6 mg
Calcium	183 mg
Sodium	868 mg

80 ml (⅓ de tasse) de mayonnaise

15 ml (1 c. à soupe) de pesto de basilic

125 ml (½ tasse) de chou rouge râpé

10 ml (2 c. à thé) de vinaigre de cidre

5 ml (1 c. à thé) de sirop d'érable

4 pains à hamburger

¼ de concombre tranché

½ petit oignon rouge tranché

Pour la préparation aux lentilles :

250 ml (1 tasse) de lentilles vertes françaises sèches (du Puy), rincées et égouttées

15 ml (1 c. à soupe) d'huile d'olive

1 oignon haché

1 poivron rouge coupé en petits dés

10 ml (2 c. à thé) d'ail haché

15 ml (1 c. à soupe) de poudre de chili

5 ml (1 c. à thé) de paprika fumé doux

310 ml (1 ¼ tasse) de sauce marinara

45 ml (3 c. à soupe) de pâte de tomates

15 ml (1 c. à soupe) de vinaigre de cidre

15 ml (1 c. à soupe) de sirop d'érable

15 ml (1 c. à soupe) de sauce Worcestershire

Sel et poivre au goût

1. Dans une casserole, déposer les lentilles et 750 ml (3 tasses) d'eau. Porter à ébullition, puis couvrir et cuire de 20 à 22 minutes à feu doux, jusqu'à tendreté. Égoutter.

2. Pendant ce temps, mélanger la mayonnaise avec le pesto dans un bol. Réserver au frais.

3. Dans un autre bol, mélanger le chou rouge avec le vinaigre de cidre et le sirop d'érable. Réserver au frais.

4. Dans une autre casserole, chauffer l'huile à feu moyen. Cuire l'oignon, le poivron et l'ail de 1 à 2 minutes.

5. Ajouter la poudre de chili et le paprika. Poursuivre la cuisson 30 secondes en remuant.

6. Ajouter la sauce marinara, la pâte de tomates, le vinaigre de cidre, le sirop d'érable et la sauce Worcestershire. Saler, poivrer et remuer. Porter à ébullition, puis laisser mijoter 5 minutes à feu doux.

7. Ajouter les lentilles et poursuivre la cuisson de 3 à 4 minutes.

8. Chauffer une grande poêle à feu moyen. Cuire les pains à hamburger de 30 secondes à 1 minute de chaque côté.

9. Garnir les pains de mayonnaise au pesto, de la préparation aux lentilles, de la préparation au chou, de concombre et d'oignon rouge.

En à-côté

Quartiers de pommes de terre rôtis

Couper 4 **pommes de terre à chair jaune** en quartiers. Dans un bol, mélanger les quartiers de pommes de terre avec 15 ml (1 c. à soupe) d'**huile d'olive**, 15 ml (1 c. à soupe) d'**épices à steak** et 5 ml (1 c. à thé) de **romarin frais** haché. Saler, poivrer et remuer. Sur une plaque de cuisson tapissée de papier parchemin, déposer les quartiers de pommes de terre. Cuire au four de 25 à 30 minutes à 205 °C (400 °F) en retournant les quartiers à mi-cuisson, jusqu'à ce qu'ils soient tendres et rôtis.

Gratin de lentilles

Préparation 10 minutes | **Cuisson** 12 minutes | **Quantité** 4 portions

1	boîte de tomates en dés de 796 ml
250 ml	(1 tasse) de bouillon de légumes
250 ml	(1 tasse) de lentilles rouges ou corail sèches, rincées et égouttées
250 ml	(1 tasse) de riz brun étuvé
500 ml	(2 tasses) de mélange de légumes surgelés de style italien
10 ml	(2 c. à thé) d'assaisonnements italiens
	Sel et poivre au goût
375 ml	(1 ½ tasse) de mélange de fromages italiens râpés

1. Préchauffer le four à 205 °C (400 °F).

2. Dans une grande poêle allant au four, déposer les tomates en dés et le bouillon de légumes. Porter à ébullition.

3. Ajouter les lentilles, le riz, le mélange de légumes et les assaisonnements italiens. Saler, poivrer et remuer. Couvrir de fromage.

4. Cuire au four de 10 à 12 minutes.

5. Régler le four à la position « gril » (*broil*) et poursuivre la cuisson de 2 à 3 minutes, jusqu'à ce que le fromage soit doré.

Salade de lentilles aux clémentines

Préparation 15 minutes | **Quantité** 2 portions

PAR PORTION	
Calories	411
Protéines	18 g
M.G.	16 g
Glucides	55 g
Fibres	10 g
Fer	7 mg
Calcium	91 mg
Sodium	164 mg

3   clémentines

1   boîte de lentilles brunes de 398 ml, rincées et égouttées

60 ml   (¼ de tasse) de persil frais haché

2   oignons verts émincés

½   poivron rouge coupé en dés

Pour la vinaigrette :

80 ml   (⅓ de tasse) de jus d'orange

30 ml   (2 c. à soupe) d'huile d'olive

15 ml   (1 c. à soupe) de moutarde à l'ancienne

10 ml   (2 c. à thé) d'ail haché

Sel et poivre au goût

1. Dans un saladier, mélanger les ingrédients de la vinaigrette.

2. Éplucher les clémentines, puis les séparer en quartiers.

3. Ajouter les quartiers de clémentines, les lentilles, le persil, les oignons verts et le poivron rouge dans le saladier. Remuer.

Riz aux lentilles et oignons caramélisés

Préparation 15 minutes | **Cuisson** 24 minutes | **Quantité** 4 portions

PAR PORTION	
Calories	408
Protéines	16 g
M.G.	11 g
Glucides	64 g
Fibres	9 g
Fer	4 mg
Calcium	85 mg
Sodium	351 mg

250 ml (1 tasse) de lentilles vertes sèches, rincées et égouttées

500 ml (2 tasses) de bouillon de légumes

250 ml (1 tasse) de riz basmati, rincé et égoutté

15 ml (1 c. à soupe) de beurre

30 ml (2 c. à soupe) d'huile d'olive

3 oignons tranchés

10 ml (2 c. à thé) de sucre

10 ml (2 c. à thé) d'ail haché

5 ml (1 c. à thé) de cumin

5 ml (1 c. à thé) de grainsde coriandre concassés

1,25 ml (¼ de c. à thé) de cannelle

Sel et poivre au goût

60 ml (¼ de tasse) de feuilles de coriandre fraîche

1. Dans une casserole, déposer les lentilles et 500 ml (2 tasses) d'eau. Porter à ébullition, puis couvrir et cuire de 20 à 22 minutes à feu doux, jusqu'à tendreté. Égoutter.

2. Pendant ce temps, porter le bouillon de légumes à ébullition dans une autre casserole. Ajouter le riz basmati. Couvrir et laisser mijoter de 12 à 15 minutes à feu doux, jusqu'à ce que le bouillon soit absorbé. Laisser reposer 5 minutes avant de remuer à l'aide d'une fourchette.

3. Dans une grande poêle, faire fondre le beurre avec l'huile à feu moyen. Cuire les oignons de 8 à 10 minutes en remuant de temps en temps, jusqu'à ce qu'ils commencent à caraméliser.

4. Ajouter le sucre et poursuivre la cuisson de 3 à 5 minutes en remuant régulièrement, jusqu'à ce que les oignons soient caramélisés.

5. Ajouter l'ail, le cumin, les grains de coriandre, la cannelle, les lentilles et le riz. Saler, poivrer et remuer. Poursuivre la cuisson de 1 à 2 minutes en remuant.

6. Au moment de servir, garnir de feuilles de coriandre.

Haricots

On les affectionne particulièrement en salade, mais les haricots noirs, rouges et blancs sont tout simplement irrésistibles dans les versions végé de nos repas préférés. Qu'il s'agisse d'un *one pot pasta* style fajitas, d'un mijoté à l'italienne ou encore d'un riz cajun, nos suggestions de recettes vous feront redécouvrir cette légumineuse riche en bienfaits et en saveurs.

Haricots

Cela ne fait aucun doute, les haricots secs figurent parmi les aliments que l'on devrait toujours avoir sous la main pour bien manger même lorsque le temps manque. Voici une mine d'infos pour mieux les apprêter et les apprécier !

Zoom sur les haricots secs

Contrairement aux haricots frais (appelés à tort « fèves » au Québec), qui sont cueillis avant maturité et dont on peut consommer la gousse, les haricots secs sont des haricots que l'on a cueillis une fois arrivés à maturité, c'est-à-dire une fois que la gousse s'est entièrement asséchée sur le plant. Comme l'ensemble des légumineuses, les haricots secs sont une très bonne source de protéines végétales, notamment en raison de leur teneur élevée en protéines et en fibres. Tous les haricots secs ont aussi un apport intéressant en potassium et en phosphore. Toutefois, les différentes variétés de haricots présentent chacune des particularités. Voici un aperçu de ce que renferment les trois variétés les plus populaires ainsi que des idées pour intégrer les haricots à vos recettes.

Rendez-vous à la page 53 pour tout savoir au sujet des légumineuses !

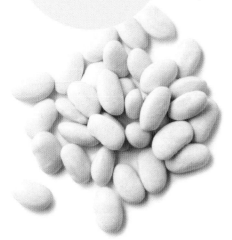

Haricots rouges

Les haricots rouges sont très riches en antioxydants et constituent une excellente source de cuivre et de folate. Ils sont aussi une excellente source de fer pour l'homme et une bonne source de fer pour la femme. Ils renferment également une bonne quantité de manganèse ainsi que du magnésium et du zinc.

En cuisine : les haricots rouges conviennent bien aux chilis et aux autres plats mijotés, puisqu'ils conservent leur forme et leur texture pendant la cuisson. Une fois réduits en purée, ils peuvent même servir d'agent liant dans les préparations à base de chocolat (gâteaux, brownies, biscuits, muffins, etc.).

Haricots blancs

Les haricots blancs sont modérément riches en antioxydants, mais constituent une excellente source de manganèse et de cuivre. Ils sont aussi une excellente source de fer pour l'homme et une bonne source de fer pour la femme. Les haricots blancs renferment également une bonne quantité de zinc, de calcium et de vitamine E.

En cuisine : les haricots blancs sont notamment utilisés dans la traditionnelle recette de fèves au lard ainsi que dans la soupe minestrone. Ils peuvent aussi être ajoutés aux salades, aux potages ou aux pâtes à base de sauce tomate, ou encore être transformés en houmous.

Haricots noirs

Les haricots noirs sont très riches en antioxydants et constituent une bonne source de fer pour l'homme et une source de fer pour la femme. Ils sont aussi une bonne source de cuivre et une source de zinc, et renferment de la vitamine B1.

En cuisine : les haricots noirs sont souvent utilisés dans les recettes d'inspiration mexicaine (chilis, quesadillas, burritos, etc.) et peuvent servir à la préparation de tartinades et de trempettes. Tout comme les haricots rouges, ils peuvent être réduits en purée et ajoutés aux desserts.

Retrouvez la recette de salade tacos en bol croustillant à la page 132 !

La conservation

Bien qu'ils soient considérés comme des aliments non périssables, les haricots secs ont tendance à durcir au fil des années, ce qui les rend difficile, voire impossible à cuire. Pour cette raison, il est préférable d'éviter d'acheter des haricots secs en trop grande quantité à la fois. Les haricots secs se conservent douze mois dans un contenant hermétique, à condition que ce dernier soit placé dans un endroit sec et frais. Quant aux haricots en boîte, ils se conservent également douze mois, dans un endroit sombre, sec et frais.

Peut-on congeler les haricots ?

Il est possible de prendre une longueur d'avance sur nos recettes en congelant les haricots cuits. Pour qu'ils conservent une texture intéressante, cessez la cuisson lorsqu'ils sont encore légèrement croquants, puis prenez soin de bien les égoutter avant de les placer dans des contenants hermétiques pouvant contenir de 125 ml à 250 ml (de ½ tasse à 1 tasse). Les haricots congelés se conserveront environ trois mois au congélateur.

Le trempage

Tous les haricots secs, à l'exception de ceux de très petite taille, comme les haricots mungo et les haricots adzuki, devraient idéalement être soumis à une période de trempage de 8 à 12 heures avant la cuisson.

D'autres variétés à découvrir :

- Haricots mungo
- Haricots adzuki
- Haricots d'Espagne
- Haricots œil noir
- Haricots flageolets

111

Haricots blancs à la puttanesca

Préparation 20 minutes | **Cuisson** 19 minutes | **Quantité** 4 portions

PAR PORTION	
Calories	589
Protéines	31 g
M.G.	18 g
Glucides	83 g
Fibres	20 g
Fer	7 mg
Calcium	323 mg
Sodium	1069 mg

30 ml — (2 c. à soupe) d'huile d'olive

1 — oignon coupé en dés

15 ml — (1 c. à soupe) d'ail haché

5 — tomates italiennes épépinées et coupées en dés

250 ml — (1 tasse) de bouillon de légumes

1 — boîte de cœurs d'artichauts en quartiers de 398 ml

2 — boîtes de haricots blancs de 540 ml chacune, rincés et égouttés

16 — olives Kalamata

15 ml — (1 c. à soupe) de thym frais haché

1 — feuille de laurier

30 ml — (2 c. à soupe) de câpres

Sel et poivre au goût

125 ml — (½ tasse) de parmesan râpé

12 — petites feuilles de basilic frais

1. Dans une casserole, chauffer l'huile à feu moyen. Cuire l'oignon et l'ail de 1 à 2 minutes.

2. Ajouter les tomates, le bouillon, les cœurs d'artichauts, les haricots, les olives, les fines herbes et les câpres dans la casserole. Saler, poivrer et remuer. Porter à ébullition, puis laisser mijoter de 18 à 20 minutes à feu doux.

3. Au moment de servir, garnir de parmesan et de basilic.

Le petit extra
Croûtons à l'ail

Dans un bol, mélanger 30 ml (2 c. à soupe) d'**huile d'olive** avec 10 ml (2 c. à thé) d'**assaisonnements à salade** et 15 ml (1 c. à soupe) d'**ail** haché. Couper ¼ d'une **baguette de pain** en douze tranches. Badigeonner les tranches de pain d'huile parfumée. Sur une plaque de cuisson tapissée de papier parchemin, déposer les tranches. Cuire au four de 10 à 12 minutes à 180 °C (350 °F) en retournant les tranches à mi-cuisson.

Enchiladas de haricots noirs

Préparation 25 minutes | **Cuisson** 25 minutes | **Quantité** 4 portions

PAR PORTION	
Calories	837
Protéines	35 g
M.G.	41 g
Glucides	102 g
Fibres	23 g
Fer	6 mg
Calcium	575 mg
Sodium	1088 mg

1	boîte de haricots noirs de 540 ml, rincés et égouttés
500 ml	(2 tasses) de riz blanc à grains longs cuit
250 ml	(1 tasse) de maïs en grains
1	poivron vert coupé en dés
500 ml	(2 tasses) de sauce marinara
15 ml	(1 c. à soupe) de poudre de chili
500 ml	(2 tasses) de mélange de fromages râpés de type tex-mex
8	tortillas moyennes
1	avocat coupé en dés
30 ml	(2 c. à soupe) de feuilles de coriandre fraîche
80 ml	(⅓ de tasse) de crème sure 14 %

1. Préchauffer le four à 180 °C (350 °F).

2. Dans un bol, mélanger les haricots noirs avec le riz, le maïs, le poivron, 125 ml (½ tasse) de sauce marinara, la poudre de chili et la moitié du fromage.

3. Garnir les tortillas d'environ 125 ml (½ tasse) de la préparation aux haricots. Rouler les tortillas en serrant.

4. Dans un plat de cuisson légèrement huilé, verser un peu de sauce marinara. Placer les tortillas côte à côte dans le plat de cuisson, joint dessous. Couvrir de la sauce marinara restante et du fromage restant.

5. Cuire au four de 25 à 30 minutes, jusqu'à ce que le fromage soit doré.

6. Au moment de servir, garnir d'avocat et de coriandre. Servir avec la crème sure.

Salade Waldorf aux haricots rouges

Préparation 15 minutes | **Quantité** 4 portions

PAR PORTION	
Calories	324
Protéines	14 g
M.G.	14 g
Glucides	41 g
Fibres	11 g
Fer	3 mg
Calcium	139 mg
Sodium	210 mg

1	boîte de haricots rouges de 540 ml, rincés et égouttés
2	pommes vertes coupées en dés
2	branches de céleri coupées en dés
250 ml	(1 tasse) de raisins rouges coupés en deux
½	petit oignon rouge coupé en dés
180 ml	(¾ de tasse) de graines de tournesol rôties
	Sel et poivre au goût

Pour la vinaigrette :

60 ml	(¼ de tasse) de yogourt grec nature 2 %
30 ml	(2 c. à soupe) de vinaigre de cidre
15 ml	(1 c. à soupe) de sirop d'érable
10 ml	(2 c. à thé) de moutarde à l'ancienne

1. Dans un saladier, fouetter les ingrédients de la vinaigrette.

2. Ajouter les haricots, les pommes, le céleri, les raisins, l'oignon rouge et les graines de tournesol dans le saladier. Saler, poivrer et remuer.

Sauté de gnocchis et haricots blancs

Préparation 15 minutes | **Cuisson** 16 minutes | **Quantité** 4 portions

1	paquet de gnocchis de 500 g
30 ml	(2 c. à soupe) d'huile d'olive
1	contenant de champignons blancs de 227 g, coupés en quartiers
15 ml	(1 c. à soupe) de beurre
1	boîte de haricots blancs de 540 ml, rincés et égouttés
60 ml	(¼ de tasse) d'échalotes sèches (françaises) hachées
10 ml	(2 c. à thé) d'ail haché
750 ml	(3 tasses) de bébés épinards
20 ml	(4 c. à thé) de vinaigre balsamique
30 ml	(2 c. à soupe) de persil frais haché
125 ml	(½ tasse) de copeaux de parmesan

1. Dans une grande casserole d'eau bouillante salée, cuire les gnocchis selon les indications de l'emballage. Égoutter.

2. Dans une grande poêle, chauffer la moitié de l'huile à feu moyen. Cuire les champignons de 5 à 7 minutes, jusqu'à évaporation complète du liquide. Réserver dans une assiette.

3. Dans la même poêle, faire fondre le beurre avec le reste de l'huile à feu moyen. Faire dorer les gnocchis de 4 à 5 minutes en remuant de temps en temps.

4. Ajouter les haricots, les échalotes et l'ail. Poursuivre la cuisson de 1 à 2 minutes.

5. Ajouter les épinards et remettre les champignons dans la poêle. Poursuivre la cuisson 1 minute. Ajouter le vinaigre balsamique et le persil. Remuer.

6. Au moment de servir, garnir de parmesan.

Riz aux haricots noirs, lime et coriandre

Préparation 15 minutes | **Cuisson** 17 minutes | **Quantité** 4 portions

PAR PORTION	
Calories	637
Protéines	15 g
M.G.	31 g
Glucides	80 g
Fibres	18 g
Fer	4 mg
Calcium	103 mg
Sodium	463 mg

15 ml (1 c. à soupe) d'huile d'olive

1 oignon haché

15 ml (1 c. à soupe) de gingembre haché

10 ml (2 c. à thé) d'ail haché

250 ml (1 tasse) de riz blanc à grains longs

500 ml (2 tasses) de bouillon de légumes

1 boîte de haricots noirs de 540 ml, rincés et égouttés

Sel et poivre au goût

250 ml (1 tasse) de laitue iceberg émincée

60 ml (¼ de tasse) de feuilles de coriandre fraîche

2 avocats coupés en fines tranches

Pour la vinaigrette :

45 ml (3 c. à soupe) d'huile de canola

30 ml (2 c. à soupe) de jus de lime frais

15 ml (1 c. à soupe) de zestes de lime

5 ml (1 c. à thé) d'huile de sésame grillé

5 ml (1 c. à thé) de miel

Sel et poivre au goût

1. Dans un bol, fouetter les ingrédients de la vinaigrette.

2. Dans une casserole, chauffer l'huile à feu moyen. Cuire l'oignon, le gingembre et l'ail de 2 à 3 minutes.

3. Ajouter le riz, le bouillon et les haricots dans la casserole. Saler, poivrer et remuer. Porter à ébullition, puis couvrir et laisser mijoter de 15 à 18 minutes à feu doux, jusqu'à absorption complète du liquide. Laisser reposer 5 minutes avant de remuer à l'aide d'une fourchette. Laisser tiédir.

4. Verser la vinaigrette dans la casserole et remuer.

5. Au moment de servir, garnir de laitue, de coriandre et de tranches d'avocats.

Salade de haricots blancs marinés

Préparation 20 minutes | **Marinage** 1 heure | **Quantité** 4 portions

60 ml (¼ de tasse) d'huile d'olive

15 ml (1 c. à soupe) de zestes de citron

30 ml (2 c. à soupe) de vinaigre de cidre

60 ml (¼ de tasse) de persil frais haché

15 ml (1 c. à soupe) d'origan frais haché

125 ml (½ tasse) de parmesan râpé

10 ml (2 c. à thé) d'ail haché

15 ml (1 c. à soupe) de miel

Sel et poivre au goût

1 boîte de haricots blancs de 540 ml, rincés et égouttés

125 ml (½ tasse) de tomates séchées émincées

8 radis coupés en fines tranches

1 contenant de feta de 200 g, émiettée

1 oignon rouge coupé en dés

500 ml (2 tasses) de roquette

375 ml (1 ½ tasse) de croûtons assaisonnés pour salade César

1. Dans un grand bol, mélanger l'huile avec les zestes de citron, le vinaigre de cidre, les fines herbes, le parmesan, l'ail et le miel. Saler et poivrer. Ajouter les haricots et remuer. Laisser mariner au frais de 1 à 2 heures.

2. Dans un saladier, mélanger les tomates séchées avec les radis, la feta, l'oignon rouge, la roquette et les croûtons.

3. Garnir la salade de la préparation aux haricots blancs marinés.

One pot pasta aux haricots noirs style fajitas

Préparation 15 minutes | **Cuisson** 9 minutes | **Quantité** 4 portions

PAR PORTION	
Calories	515
Protéines	23 g
M.G.	12 g
Glucides	78 g
Fibres	14 g
Fer	5 mg
Calcium	256 mg
Sodium	928 mg

15 ml (1 c. à soupe) d'huile d'olive

1 oignon émincé

3 demi-poivrons de couleurs variées coupés en lanières

15 ml (1 c. à soupe) d'ail haché

2 tomates épépinées et coupées en dés

1 boîte de haricots noirs de 540 ml, rincés et égouttés

750 ml (3 tasses) de bouillon de légumes

1 sachet d'assaisonnements à fajitas de 24 g

5 ml (1 c. à thé) d'origan frais haché

750 ml (3 tasses) de gemellis

250 ml (1 tasse) de mozzarella râpée

1. Dans une grande casserole, chauffer l'huile à feu moyen. Cuire l'oignon, les poivrons et l'ail de 2 à 3 minutes.

2. Ajouter les tomates, les haricots, le bouillon, les assaisonnements à fajitas, l'origan et les gemellis. Remuer. Porter à ébullition, puis couvrir et cuire de 7 à 9 minutes à feu doux en remuant à mi-cuisson, jusqu'à ce que les pâtes soient *al dente*.

3. Au moment de servir, garnir de mozzarella.

PAR PORTION	
Calories	457
Protéines	17 g
M.G.	6 g
Glucides	84 g
Fibres	14 g
Fer	5 mg
Calcium	169 mg
Sodium	684 mg

Riz cajun aux haricots rouges

Préparation 15 minutes | **Cuisson** 18 minutes | **Quantité** 4 portions

15 ml	(1 c. à soupe) d'huile d'olive
1	oignon haché
3	demi-poivrons de couleurs variées coupés en dés
10 ml	(2 c. à thé) d'ail haché
10 ml	(2 c. à thé) d'épices cajun
5 ml	(1 c. à thé) de paprika fumé doux
375 ml	(1 ½ tasse) de bouillon de légumes
1	boîte de tomates en dés de 540 ml
250 ml	(1 tasse) de riz blanc à grains longs
	Sel et poivre au goût
1 ½	boîte de haricots rouges de 540 ml chacune, rincés et égouttés
30 ml	(2 c. à soupe) de persil frais haché

1. Dans une casserole, chauffer l'huile à feu moyen. Cuire l'oignon et les poivrons de 2 à 3 minutes.

2. Ajouter l'ail, les épices cajun et le paprika fumé. Poursuivre la cuisson 30 secondes en remuant.

3. Ajouter le bouillon de légumes et les tomates en dés. Porter à ébullition.

4. Ajouter le riz. Saler, poivrer et remuer. Couvrir et laisser mijoter de 15 à 18 minutes à feu doux, jusqu'à ce que le riz soit tendre.

5. Ajouter les haricots et remuer. Retirer du feu. Laisser reposer à couvert 5 minutes avant de remuer à l'aide d'une fourchette.

6. Au moment de servir, garnir de persil haché.

PAR PORTION	
Calories	363
Protéines	21 g
M.G.	17 g
Glucides	33 g
Fibres	6 g
Fer	2 mg
Calcium	111 mg
Sodium	148 mg

Salade de pommes de terre aux haricots lupin

Préparation 15 minutes | **Cuisson** 25 minutes | **Quantité** 4 portions

450 g	(1 lb) de pommes de terre grelots coupées en deux
20	tomates cerises coupées en deux
30 ml	(2 c. à soupe) d'huile d'olive
10 ml	(2 c. à thé) d'ail haché
	Sel et poivre au goût
1	boîte de haricots lupins de 540 ml, rincés et égouttés
22,5 ml	(1 ½ c. à soupe) de câpres hachées
60 ml	(¼ de tasse) d'oignons verts hachés

Pour la vinaigrette :

60 ml	(¼ de tasse) de yogourt grec nature 2 %
30 ml	(2 c. à soupe) d'huile d'olive
30 ml	(2 c. à soupe) de persil frais haché
15 ml	(1 c. à soupe) de vinaigre de vin blanc
15 ml	(1 c. à soupe) de moutarde à l'ancienne

1. Préchauffer le four à 205 °C (400 °F).

2. Dans un bol, fouetter les ingrédients de la vinaigrette. Réserver au frais.

3. Dans un autre bol, mélanger les pommes de terre avec les tomates cerises, l'huile et l'ail. Saler, poivrer et remuer.

4. Sur une plaque de cuisson tapissée de papier parchemin, déposer la préparation aux pommes de terre. Cuire au four de 25 à 30 minutes en remuant à mi-cuisson, jusqu'à ce que les pommes de terre soient tendres. Retirer du four et laisser tiédir.

5. Dans un saladier, déposer la préparation aux pommes de terre, les haricots lupins, les câpres et les oignons verts. Napper de vinaigrette et remuer délicatement.

> Vous pourriez très bien utiliser des haricots blancs dans cette recette.

Zoom sur...

Le haricot lupin

Issu de la famille des légumineuses, le haricot lupin est une graine à la texture ferme qui ne contient pas de gluten, en plus d'être très protéinée et bourrée de fibres. En effet, une portion de haricots lupins en conserve de 125 ml (½ tasse) fournit 22 g de protéines et 13 g de fibres. Une excellente option pour remplacer les grignotines ou pour calmer sainement une petite fringale ! Pour les consommer, on doit retirer la peau qui les enveloppe. On en trouve en conserve, dans une saumure et dans des contenants en verre dans la plupart des supermarchés.

Mijoté de haricots rouges à l'italienne

Préparation 20 minutes | **Cuisson** 15 minutes | **Quantité** 4 portions

PAR PORTION	
Calories	271
Protéines	15 g
M.G.	5 g
Glucides	43 g
Fibres	12 g
Fer	4 mg
Calcium	209 mg
Sodium	483 mg

15 ml	(1 c. à soupe) d'huile d'olive
1	oignon haché
2	carottes coupées en dés
1	branche de céleri coupée en dés
1	poivron vert coupé en dés
10 ml	(2 c. à thé) d'ail haché
10 ml	(2 c. à thé) de paprika
10 ml	(2 c. à thé) d'herbes italiennes séchées
2,5 ml	(½ c. à thé) de flocons de piment
1	boîte de tomates en dés de 796 ml
1	boîte de haricots rouges de 540 ml, rincés et égouttés
1	courgette coupée en dés
	Sel et poivre au goût
125 ml	(½ tasse) de fromage frais quark
30 ml	(2 c. à soupe) de basilic frais haché

1. Dans une grande casserole, chauffer l'huile à feu moyen. Cuire l'oignon, les carottes, le céleri, le poivron et l'ail de 4 à 5 minutes.

2. Ajouter le paprika, les herbes italiennes et les flocons de piment. Poursuivre la cuisson 1 minute en remuant.

3. Ajouter les tomates en dés, les haricots et la courgette. Saler, poivrer et remuer. Porter à ébullition, puis laisser mijoter de 10 à 12 minutes à feu doux en remuant de temps en temps.

4. Au moment de servir, garnir de fromage frais et de basilic.

Salade tacos en bol croustillant

Préparation 20 minutes | **Cuisson** 12 minutes | **Quantité** 4 portions

PAR PORTION	
Calories	455
Protéines	16 g
M.G.	14 g
Glucides	69 g
Fibres	18 g
Fer	5 mg
Calcium	163 mg
Sodium	648 mg

4	grandes tortillas
125 ml	(½ tasse) de salsa douce
60 ml	(¼ de tasse) de crème sure 14 %
1 litre	(4 tasses) de laitue romaine déchiquetée
1	boîte de haricots noirs de 540 ml, rincés et égouttés
2	tomates coupées en dés
1	mangue coupée en dés
1	avocat coupé en dés
3	demi-poivrons de couleurs variées coupés en dés
1	petit oignon rouge coupé en dés
	Sel et poivre au goût

1. Préchauffer le four à 180 °C (350 °F).

2. Déposer chacune des tortillas dans un bol de 10 cm (4 po) de diamètre allant au four et faire onduler le rebord à l'aide des doigts.

3. Chauffer les tortillas au four de 12 à 15 minutes, jusqu'à ce qu'elles soient dorées. Retirer du four, démouler et laisser tiédir sur une grille.

4. Dans un petit bol, mélanger la salsa avec la crème sure.

5. Dans un saladier, mélanger la laitue avec les haricots, les tomates, la mangue, l'avocat, les poivrons et l'oignon. Ajouter la préparation à la salsa. Saler, poivrer et remuer.

6. Répartir la salade tacos dans les bols en tortillas.

Pâté végé aux haricots

Préparation 10 minutes | **Cuisson** 37 minutes | **Quantité** 4 portions

PAR PORTION	
Calories	471
Protéines	21 g
M.G.	28 g
Glucides	88 g
Fibres	16 g
Fer	5 mg
Calcium	171 mg
Sodium	694 mg

15 ml   (1 c. à soupe) d'huile d'olive

1   oignon haché

1   boîte de haricots blancs de 540 ml, rincés et égouttés

1   sac de macédoine de légumes surgelée de 750 g

30 ml   (2 c. à soupe) de farine tout usage

125 ml   (½ tasse) de bouillon de légumes

125 ml   (½ tasse) de crème à cuisson 35 %

    Sel et poivre au goût

1   rouleau de pâte à croissants (de type Pillsbury) de 235 g

1. Préchauffer le four à 180 °C (350 °F).

2. Dans une grande poêle, chauffer l'huile à feu moyen. Cuire l'oignon de 1 à 2 minutes.

3. Ajouter les haricots blancs et la macédoine de légumes. Poursuivre la cuisson de 3 à 4 minutes en remuant.

4. Saupoudrer de farine et remuer. Cuire 1 minute.

5. Verser le bouillon de légumes et la crème dans la casserole. Remuer. Porter à ébullition, puis laisser mijoter de 2 à 3 minutes à feu doux. Saler, poivrer et remuer.

6. Transférer la préparation aux haricots dans une assiette à tarte de 18 cm (7 po) de diamètre.

7. Dérouler le rouleau de pâte à croissants, puis détacher les triangles de pâte. Couvrir la préparation aux haricots de triangles de pâte à croissants.

8. Cuire au four de 30 à 35 minutes.

Edamames

Protéines végétales par excellence, ces fèves de soya sont de plus en plus appréciées, mais on manque parfois d'inspiration pour les cuisiner. Faites le plein d'idées originales pour les apprêter de façon classique ou inédite !

Edamames

Savoureux, nutritifs, polyvalents... Les edamames font partie des aliments incontournables de l'alimentation végétarienne. Découvrez tout ce que vous devez savoir à leur sujet pour en profiter pleinement !

C'est quoi ?

Originaires d'Asie, les edamames, que l'on prononce « édama-més », sont tout simplement des fèves de soya que l'on a cueillies avant maturité. Ils font partie de la grande famille des légumineuses. Ces petites fèves d'un vert tendre ont un goût frais qui peut s'apparenter à celui des pois verts ou encore à celui des pois mange-tout, mais avec en prime un subtil goût de noisette. Elles présentent une texture égèrement croquante sous la dent, contrairement aux autres légumineuses dont la texture est souvent farineuse, et peuvent servir à créer des préparations onctueuses lorsqu'elles sont réduites en purée.

> « Edamame » est un mot d'origine japonaise signifiant « haricot sur branche ».

Où les trouver ?

Les edamames sont aujourd'hui faciles à trouver dans la grande majorité des supermarchés traditionnels et des fruiteries ainsi que dans plusieurs épiceries spécialisées et magasins d'aliments naturels. Vous trouverez les edamames écossés ou encore en cosses au rayon des légumes surgelés. Puisque le climat du Québec est propice à la culture des edamames, il est possible de profiter d'edamames cultivés localement. Vous pouvez aussi les cultiver à même votre potager et en faire provision.

Valeurs nutritives

Les edamames sont avant tout une excellente source de protéines : **une portion de 180 ml (¾ de tasse) d'edamames en fournit environ 12 g**. Pour la même quantité, on trouve en outre 134 calories, 4 g de fibres, 6 g de lipides et 10 g de glucides ainsi que du fer, du phosphore, du calcium et du potassium. Les edamames sont une bonne source de phytoestrogènes, des composés d'origine végétale qui jouent un rôle dans la prévention des maladies cardiovasculaires.

Mise en garde

Lorsqu'ils sont crus, les edamames contiennent une quantité non négligeable de mésophiles, de levures et de moisissures qui les rendent toxiques pour l'organisme humain. Une telle intoxication pourrait causer, par exemple, des maux de tête, de la diarrhée ou encore des vomissements. Mais soyez sans crainte : pour éliminer tout risque d'intoxication, il suffit de blanchir les edamames de 3 à 5 minutes avant de les ajouter à nos recettes. Notez d'ailleurs que la majorité des edamames surgelés du commerce ont préalablement été blanchis avant d'être emballés. Toutefois, il est suggéré de les blanchir à nouveau pour leur redonner une belle couleur et une texture croquante. Référez-vous aux indications sur l'emballage pour obtenir plus de précisions.

Conservation

Pour prolonger leur durée de vie, mais aussi pour préserver leur couleur et leur texture, il est préférable de soumettre les edamames à un blanchissage suivi d'une congélation. Les edamames blanchis, puis surgelés se conservent environ 1 an au congélateur ou jusqu'à la date de péremption indiquée sur l'emballage. Une fois qu'ils ont été décongelés, puis cuits, les edamames se conservent environ 5 jours au réfrigérateur, de préférence dans un sac en plastique perforé.

En cuisine

Fèves. Les fèves d'edamames, une fois blanchies, peuvent être ajoutées aux mets chauds, comme les soupes-repas, les sautés ou encore les riz frits. Elles sont aussi délicieuses froides, ce qui en fait un excellent choix pour les *poke bowls*, les sushis et les salades en tous genres. Enfin, elles peuvent être réduites en purée dans les houmous et les potages, ou même être ajoutées aux smoothies verts.

Cosses. Vous trouverez dans les supermarchés des edamames en cosses surgelés. Ces derniers peuvent être apprêtés en guise d'amuse-gueule d'inspiration japonaise et servis à l'heure de l'apéro ou de la collation. Il suffit alors de blanchir les cosses surgelées 3 minutes dans l'eau salée, puis de les égoutter. On assaisonne ensuite les cosses avec une pincée de fleur de sel ou les ingrédients de notre choix (ail, gingembre, tamari, etc.), puis on exerce une légère pression avec les dents ou les doigts pour extraire les fèves. Notez que les cosses, robustes et présentant un léger duvet, ne sont pas comestibles.

Sushi bowl, p. 146

Macaroni au fromage aux edamames

Préparation 15 minutes | **Cuisson** 15 minutes | **Quantité** 6 portions

PAR PORTION	
Calories	563
Protéines	29 g
M.G.	26 g
Glucides	54 g
Fibres	4 g
Fer	3 mg
Calcium	423 mg
Sodium	352 mg

625 ml (2 ½ tasses) de macaronis

250 ml (1 tasse) d'edamames décortiqués surgelés

80 ml (⅓ de tasse) de chapelure panko

60 ml (¼ de tasse) d'oignons verts hachés

Pour la sauce :

60 ml (¼ de tasse) de beurre

1 oignon haché

10 ml (2 c. à thé) d'ail haché

60 ml (¼ de tasse) de farine tout usage

500 ml (2 tasses) de lait 2 %

½ paquet de tofu soyeux mou de 300 g

10 ml (2 c. à thé) de moutarde de Dijon

Sel et poivre au goût

375 ml (1 ½ tasse) de cheddar râpé

1. Dans une grande casserole d'eau bouillante salée, cuire les macaronis *al dente*. Environ 5 minutes avant la fin de la cuisson des pâtes, ajouter les edamames dans la casserole. Égoutter.

2. Dans la même casserole, faire fondre le beurre à feu moyen. Cuire l'oignon et l'ail de 1 à 2 minutes.

3. Saupoudrer de farine et poursuivre la cuisson 1 minute en remuant.

4. Incorporer graduellement le lait en fouettant. Incorporer le tofu et la moutarde en fouettant. Porter à ébullition, puis laisser mijoter de 1 à 2 minutes à feu doux. Saler et poivrer. Retirer du feu.

5. Hors du feu, incorporer 250 ml (1 tasse) de cheddar en remuant jusqu'à ce qu'il soit fondu. À l'aide du mélangeur à main, mélanger la préparation de 1 à 2 minutes.

6. Remettre les macaronis et les edamames dans la casserole. Remuer.

7. Transférer la préparation dans un plat de cuisson. Couvrir de chapelure et du reste du cheddar.

8. Régler le four à la position « gril » (*broil*). Faire gratiner au four de 2 à 3 minutes, jusqu'à ce que la chapelure et le fromage soient légèrement dorés.

9. À la sortie du four, parsemer d'oignons verts.

Salade de brocolis et edamames à l'asiatique

Préparation 15 minutes | **Cuisson** 5 minutes | **Quantité** 4 portions

PAR PORTION	
Calories	512
Protéines	23 g
M.G.	30 g
Glucides	44 g
Fibres	10 g
Fer	5 mg
Calcium	187 mg
Sodium	632 mg

500 ml (2 tasses) d'edamames décortiqués surgelés

375 ml (1 ½ tasse) de chou rouge râpé

2 brocolis coupés en bouquets

2 petits oignons rouges émincés

2 carottes coupées en juliennes

80 ml (⅓ de tasse) d'arachides hachées

30 ml (2 c. à soupe) de graines de sésame rôties

30 ml (2 c. à soupe) de petites feuilles de coriandre fraîche

Pour la vinaigrette :

125 ml (½ tasse) de beurre d'arachide

60 ml (¼ de tasse) de vinaigre de riz

45 ml (3 c. à soupe) de sauce soya

30 ml (2 c. à soupe) de sirop d'érable

20 ml (4 c. à thé) de gingembre haché

1. Dans une casserole d'eau bouillante salée, cuire les edamames 5 minutes. Refroidir sous l'eau froide et égoutter.

2. Dans un saladier, fouetter le beurre d'arachide avec 80 ml (⅓ de tasse) d'eau chaude. Incorporer le reste des ingrédients de la vinaigrette en fouettant. Si désiré, filtrer la vinaigrette à l'aide d'un tamis.

3. Ajouter le chou rouge, les brocolis, les oignons, les carottes, les arachides et les edamames dans le saladier. Remuer.

4. Garnir de graines de sésame et de feuilles de coriandre.

Soupe coco-edamames

Préparation 15 minutes | **Cuisson** 11 minutes | **Quantité** 4 portions

15 ml	(1 c. à soupe) d'huile d'olive
1	oignon haché
10 ml	(2 c. à thé) d'ail haché
10 ml	(2 c. à thé) de gingembre haché
15 ml	(1 c. à soupe) de pâte de cari rouge
5 ml	(1 c. à thé) de curcuma
1	boîte de lait de coco de 398 ml
375 ml	(1 ½ tasse) de bouillon de légumes
15 ml	(1 c. à soupe) de sauce soya
1	petit piment thaï émincé
1	boîte de maïs miniatures de 398 ml, rincés et égouttés
500 ml	(2 tasses) d'edamames décortiqués surgelés
150 g	(⅓ de lb) de vermicelles de riz
	Sel et poivre au goût
30 ml	(2 c. à soupe) de jus de lime frais
60 ml	(¼ de tasse) de feuilles de coriandre fraîche

1. Dans une grande casserole, chauffer l'huile à feu moyen. Cuire l'oignon de 2 à 3 minutes.

2. Ajouter l'ail, le gingembre, la pâte de cari et le curcuma. Poursuivre la cuisson 1 minute en remuant.

3. Ajouter le lait de coco, le bouillon de légumes, la sauce soya, le piment thaï, les maïs miniatures et les edamames. Porter à ébullition, puis laisser mijoter 5 minutes à feu doux.

4. Ajouter les vermicelles de riz et poursuivre la cuisson de 3 à 5 minutes, jusqu'à ce qu'ils soient tendres. Saler et poivrer.

5. Répartir la soupe dans les bols. Arroser de jus de lime et garnir de coriandre.

Sushi bowl

Préparation 20 minutes | Cuisson 25 minutes | Quantité 4 portions

250 ml (1 tasse) de riz à sushis

15 ml (1 c. à soupe) de vinaigre de riz

250 ml (1 tasse) d'edamames décortiqués surgelés

2 feuilles de nori coupées en fines lanières

1 mangue pelée et coupée en tranches

1 avocat coupé en tranches

1 carotte coupée en juliennes

½ concombre taillé en rubans

30 ml (2 c. à soupe) de graines de sésame noires et blanches

60 ml (¼ de tasse) d'oignons verts hachés

80 ml (⅓ de tasse) de wontons frits émiettés

Pour la sauce :

160 ml (⅔ de tasse) de yogourt grec nature 2 %

30 ml (2 c. à soupe) de vinaigre de riz

5 ml (1 c. à thé) de sriracha

5 ml (1 c. à thé) d'huile de sésame grillé

5 ml (1 c. à thé) d'ail haché

5 ml (1 c. à thé) de miel

Sel et poivre au goût

1. Dans un bol, mélanger les ingrédients de la sauce. Réserver au frais.

2. Dans une casserole, déposer le riz, 500 ml (2 tasses) d'eau et le vinaigre de riz. Porter à ébullition, puis couvrir et laisser mijoter de 20 à 25 minutes à feu doux, jusqu'à ce que le riz soit tendre. Remuer à l'aide d'une fourchette.

3. Dans une casserole d'eau bouillante, cuire les edamames 5 minutes. Refroidir sous l'eau froide et égoutter.

4. Dans quatre bols, répartir le riz. Répartir séparément les lanières de nori, la mangue, l'avocat, la carotte et le concombre. Garnir d'un filet de sauce, de graines de sésame, d'oignons verts et de wontons frits.

Pitas aux edamames, courgettes et feta

Préparation 20 minutes | **Cuisson** 10 minutes | **Quantité** 4 portions

PAR PORTION	
Calories	443
Protéines	16 g
M.G.	31 g
Glucides	29 g
Fibres	7 g
Fer	3 mg
Calcium	218 mg
Sodium	788 mg

375 ml (1 ½ tasse) d'eda-mames décortiqués surgelés

15 ml (1 c. à soupe) d'huile d'olive

2 petites courgettes coupées en demi-rondelles

60 ml (¼ de tasse) de pesto de basilic

60 ml (¼ de tasse) de mayonnaise

4 pitas de blé entier coupés en deux

500 ml (2 tasses) de bébés épinards

½ petit oignon rouge émincé

½ contenant de feta de 200 g, émiettée

80 ml (⅓ de tasse) d'olives vertes tranchées

1. Dans une casserole d'eau bouillante, cuire les edamames 5 minutes. Égoutter.

2. Dans une grande poêle, chauffer l'huile à feu moyen-élevé. Cuire les courgettes et les edamames de 5 à 7 minutes en remuant de temps en temps, jusqu'à ce qu'ils soient rôtis.

3. Dans un bol, mélanger le pesto de basilic avec la mayonnaise.

4. Tartiner l'intérieur des demi-pitas de mayonnaise au pesto. Garnir de bébés épinards, de préparation aux edamames et courgettes, d'oignon, de feta et d'olives.

PAR PORTION	
Calories	696
Protéines	27 g
M.G.	24 g
Glucides	96 g
Fibres	12 g
Fer	8 mg
Calcium	124 mg
Sodium	125 mg

Salade tiède d'orzo, edamames et fromage de chèvre

Préparation 15 minutes | **Cuisson** 10 minutes | **Quantité** 4 portions

375 ml (1 ½ tasse) d'orzo

500 ml (2 tasses) d'edamames décortiqués surgelés

300 g (⅔ de lb) d'asperges coupées en tronçons

30 ml (2 c. à soupe) de persil frais haché

30 ml (2 c. à soupe) de menthe fraîche hachée

100 g (3 ½ oz) de fromage de chèvre émietté

80 ml (⅓ de tasse) de canneberges séchées

Pour la vinaigrette :

60 ml (¼ de tasse) d'huile d'olive

30 ml (2 c. à soupe) de vinaigre de vin blanc

30 ml (2 c. à soupe) de sirop d'érable

Sel et poivre au goût

1. Dans une casserole d'eau bouillante salée, cuire l'orzo *al dente*. Égoutter.

2. Pendant ce temps, dans une autre casserole d'eau bouillante salée, cuire les edamames et les asperges 5 minutes. Égoutter.

3. Dans un saladier, fouetter les ingrédients de la vinaigrette.

4. Ajouter l'orzo, les edamames, les asperges, le persil et la menthe dans le saladier. Remuer. Garnir de fromage de chèvre et de canneberges.

Salade de betteraves sur houmous d'edamames

Préparation 30 minutes | **Cuisson** 25 minutes | **Quantité** 4 portions

4	betteraves pelées et coupées en quartiers
15 ml	(1 c. à soupe) d'huile d'olive
2,5 ml	(½ c. à thé) de paprika fumé doux
5 ml	(1 c. à thé) de thym frais haché
2,5 ml	(½ c. à thé) de romarin frais haché
	Sel et poivre au goût
160 ml	(⅔ de tasse) de couscous
500 ml	(2 tasses) de roquette
60 ml	(¼ de tasse) d'oignons verts hachés
60 ml	(¼ de tasse) de noix de pin rôties

Pour la vinaigrette :

45 ml	(3 c. à soupe) d'huile d'olive
30 ml	(2 c. à soupe) de vinaigre de cidre
15 ml	(1 c. à soupe) de moutarde à l'ancienne
	Sel et poivre au goût

Pour le houmous d'edamames :

500 ml	(2 tasses) d'edamames décortiqués surgelés
125 ml	(½ tasse) de tahini (beurre de sésame)
45 ml	(3 c. à soupe) de jus de citron frais
45 ml	(3 c. à soupe) d'huile d'olive
45 ml	(3 c. à soupe) de feuilles de coriandre fraîche
10 ml	(2 c. à thé) d'ail haché
	Sel et poivre au goût

1. Préchauffer le four à 190 °C (375 °F).

2. Dans un bol, fouetter les ingrédients de la vinaigrette. Réserver au frais.

3. Dans un autre bol, mélanger les betteraves avec l'huile d'olive, le paprika fumé, le thym et le romarin. Saler et poivrer.

4. Sur une plaque de cuisson tapissée de papier parchemin, déposer la préparation aux betteraves. Cuire au four de 25 à 30 minutes en remuant à mi-cuisson, jusqu'à ce que les betteraves soient tendres. Retirer du four et laisser tiédir.

5. Pendant ce temps, cuire les edamames 5 minutes dans une casserole d'eau bouillante. Refroidir sous l'eau froide et égoutter.

6. Dans le contenant du robot culinaire, déposer les edamames et le reste des ingrédients du houmous. Mélanger de 1 à 2 minutes, jusqu'à l'obtention d'une texture lisse. Au besoin, ajouter un peu d'eau si le houmous est trop épais.

7. Dans une casserole, porter 160 ml (⅔ de tasse) d'eau à ébullition. Ajouter le couscous, couvrir et retirer du feu. Laisser reposer 5 minutes avant d'égrainer le couscous à l'aide d'une fourchette.

8. Dans quatre assiettes, répartir le houmous d'edamames. Garnir de roquette, de couscous, de préparation aux betteraves, d'oignons verts et de noix de pin. Verser la vinaigrette en filet.

Soupe ramen aux edamames

Préparation 15 minutes | **Cuisson** 15 minutes | **Quantité** 4 portions

PAR PORTION	
Calories	408
Protéines	15 g
M.G.	8 g
Glucides	53 g
Fibres	7 g
Fer	4 mg
Calcium	80 mg
Sodium	1441 mg

15 ml (1 c. à soupe) d'huile d'olive

1 contenant de champignons blancs de 227 g, tranchés

1 oignon haché

10 ml (2 c. à thé) d'ail haché

10 ml (2 c. à thé) de gingembre haché

1 litre (4 tasses) de bouillon de légumes

45 ml (3 c. à soupe) de miso

250 ml (1 tasse) d'edamames décortiqués surgelés

1 carotte taillée en rubans

225 g (½ lb) de nouilles ramen

375 ml (1 ½ tasse) de bébés épinards

1. Dans une grande casserole, chauffer l'huile à feu moyen. Cuire les champignons de 5 à 7 minutes, jusqu'à ce que l'eau soit évaporée.

2. Ajouter l'oignon, l'ail et le gingembre. Poursuivre la cuisson de 2 à 3 minutes en remuant de temps en temps.

3. Verser le bouillon de légumes dans la casserole. Déposer le miso dans un petit tamis. Diluer le miso à la surface du bouillon en remuant à l'aide d'une cuillère. Porter à ébullition.

4. Ajouter les edamames et la carotte. Laisser mijoter 5 minutes à feu doux.

5. Ajouter les nouilles ramen et les épinards. Poursuivre la cuisson de 3 à 5 minutes en remuant de temps en temps, jusqu'à ce que les nouilles soient *al dente*.

PAR PORTION	
Calories	337
Protéines	30 g
M.G.	14 g
Glucides	26 g
Fibres	8 g
Fer	6 mg
Calcium	286 mg
Sodium	340 mg

Stew végé aux edamames et tofu à la mijoteuse

Préparation 15 minutes | **Cuisson à faible intensité** 8 heures | **Quantité** 4 portions

500 ml	(2 tasses) d'edamames décortiqués surgelés
80 ml	(⅓ de tasse) de bouillon de légumes
1	oignon haché
1	boîte de tomates en dés de 540 ml
1	bloc de tofu ferme de 454 g, coupé en dés
45 ml	(3 c. à soupe) de sauce harissa au poivron rouge doux (de type Mina)
10 ml	(2 c. à thé) de cumin
	Sel au goût
60 ml	(¼ de tasse) de coriandre fraîche hachée

1. Dans la mijoteuse, mélanger les edamames avec le bouillon de légumes, l'oignon, les tomates en dés, le tofu, la sauce harissa et le cumin. Saler.

2. Couvrir et cuire 8 heures à faible intensité.

3. Au moment de servir, garnir de coriandre.

En à-côté

Couscous citronné

Dans un bol, mélanger 375 ml (1 ½ tasse) de **couscous** avec 15 ml (1 c. à soupe) de **beurre** ainsi que le zeste et le jus de 1 **citron**. Saler, poivrer et remuer. Dans une casserole, porter à ébullition 375 ml (1 ½ tasse) d'**eau**. Verser l'eau chaude sur le couscous. Couvrir et laisser gonfler de 5 à 6 minutes avant de remuer à l'aide d'une fourchette.

PAR PORTION	
Calories	348
Protéines	18 g
M.G.	15 g
Glucides	47 g
Fibres	7 g
Fer	4 mg
Calcium	145 mg
Sodium	24 mg

Salade de pâtes à l'italienne

Préparation 20 minutes | **Cuisson** 10 minutes | **Quantité** 4 portions

500 ml	(2 tasses) de gemellis
500 ml	(2 tasses) d'edamames décortiqués surgelés
125 ml	(½ tasse) de perles de bocconcini
18	tomates cerises coupées en quatre
1	petit oignon rouge haché
2	petites courgettes émincées

Pour la vinaigrette :

30 ml	(2 c. à soupe) d'huile d'olive
30 ml	(2 c. à soupe) de vinaigre balsamique blanc
30 ml	(2 c. à soupe) de basilic frais émincé
30 ml	(2 c. à soupe) d'origan frais haché
30 ml	(2 c. à soupe) de persil frais haché
30 ml	(2 c. à soupe) de tomates séchées hachées
15 ml	(1 c. à soupe) d'ail haché
	Sel et poivre au goût

1. Dans une casserole d'eau bouillante salée, cuire les pâtes *al dente*. Environ 3 minutes avant la fin de la cuisson des pâtes, ajouter les edamames dans la casserole. Refroidir sous l'eau froide et égoutter.

2. Dans un saladier, fouetter les ingrédients de la vinaigrette avec 30 ml (2 c. à soupe) d'eau.

3. Ajouter les perles de bocconcini, les tomates cerises, l'oignon rouge, les courgettes, les pâtes et les edamames dans le saladier. Remuer.

Protéine végétale texturée

De plus en plus souvent intégrée dans la cuisine végétarienne, la protéine végétale texturée (PVT) est parfaite pour diminuer sa consommation de viande et transformer les classiques à base de protéines animales. On apprend à cuisiner cette protéine de soya et à l'ajouter dans nos recettes préférées !

Protéine végétale texturée

La PVT est une alliée de la cuisine santé qui gagne à être connue. Voyez comment l'intégrer à votre alimentation au quotidien !

On trouve parfois la PVT sous le nom de PST (protéine de soya texturée).

De quoi est-elle faite ?

La protéine végétale texturée est faite à partir d'un sous-produit de la fabrication de l'huile de soya que l'on appelle « farine dégraissée ». Cette farine dégraissée est d'abord cuite sous pression avant d'être soumise à un processus de transformation, puis réduite en pépites séchées.

Valeurs nutritives

Comme son nom l'indique, la PVT est une excellente source de protéines : une portion de 125 ml (½ tasse) en contient 24 g ! Pour la même quantité, on trouve aussi 9 g de fibres et aussi peu que 0,5 g de lipides. Autrement, la protéine végétale texturée est une excellente source de fer, puisqu'une portion de 125 ml (½ tasse) renferme 30 % de nos besoins quotidiens.

Où la trouve-t-on ?

Si la PVT était, il y a quelques années encore, un produit rare seulement tenu par quelques magasins d'aliments naturels, elle est aujourd'hui parfaitement accessible au grand public. En effet, on la trouve dans la majorité des épiceries, le plus souvent au rayon des aliments biologiques, et même dans certains magasins à grande surface. Les boutiques d'aliments en vrac ainsi que les magasins d'aliments naturels proposent généralement de la PVT de tailles variées. Sachez qu'il vaut mieux éviter la PVT de couleur brune ou caramel, puisque cela indique la présence de colorant. À l'état brut, la PVT présente plutôt une couleur beige tirant sur le jaune.

Comment utiliser les différentes tailles de PVT ?

A priori, toutes les tailles de PVT offrent le même goût et peuvent être utilisées dans n'importe quelle recette. Les indications suivantes peuvent toutefois servir de guide pour reproduire avec le plus de précision possible la texture des viandes et des volailles que l'on souhaite imiter dans nos recettes en mode végé.

Très petite : la PVT de très petite taille peut être utilisée en remplacement de la viande hachée maigre ou très maigre, par exemple dans les pains de viande ou les boulettes.

Petite : la PVT de petite taille peut être utilisée en remplacement de la viande hachée mi-maigre ou encore de la chair de saucisse, par exemple dans les sauces à spaghetti et les chilis.

Moyenne : la PVT de taille moyenne peut être utilisée dans les recettes où l'on souhaite sentir une texture plus « *chunky* », par exemple dans les tacos, les bols (*buddha bowl*, bol coréen, etc.) et les macaronis chinois.

Grande : la PVT de grande taille peut se présenter sous diverses formes (petites tranches, steak, etc.). Elle est principalement intéressante pour reproduire l'aspect des poitrines de poulet ou des longes de porc tranchées dans les sandwichs ou les pizzas.

Conservation

La PVT à l'état déshydraté se conserve de 6 à 9 mois dans un contenant hermétique, à condition que ce dernier ne soit pas placé près d'une source de lumière ou de chaleur. La PVT réhydratée, qu'elle soit assaisonnée ou non, se conserve jusqu'à 3 jours au réfrigérateur.

Comment l'apprêter ?

Bien que la PVT ait un goût neutre, elle s'imprègne facilement des arômes des aliments dans lesquels elle baigne. Lui donner de la saveur est donc un véritable jeu d'enfant !

Il est nécessaire de réhydrater ou de cuire la PVT avant de la consommer.

Recettes avec liquide

Il est possible d'ajouter la PVT directement dans nos recettes sans la réhydrater ni l'assaisonner au préalable si ces dernières contiennent déjà une grande quantité de liquide et d'assaisonnements. C'est le cas par exemple des plats mijotés et des plats en sauce, ou encore des sauces à spaghetti et des chilis. Selon la taille des pépites de PVT, on les ajoute directement dans la recette (casserole, chaudron, mijoteuse, etc.) de 5 à 20 minutes avant la fin de la cuisson, avec la même quantité de liquide au choix (eau, bouillon, etc.). Par exemple, pour 250 ml (1 tasse) de PVT, on ajoutera 250 ml (1 tasse) de liquide.

Recettes sans liquide

Il est nécessaire de réhydrater et d'assaisonner la PVT au préalable avant de l'ajouter à nos recettes si ces dernières ne contiennent pas de liquide ou encore si elles en contiennent peu. C'est le cas par exemple des tacos, des pâtés chinois, des pâtés mexicains, etc. Il suffit de déposer la quantité de PVT désirée dans un bol, puis d'y ajouter la même quantité d'eau bouillante ou de bouillon bouillant. On laisse ensuite reposer entre 2 et 10 minutes selon la taille des pépites. Au besoin, on vérifie la texture des pépites en cours de réhydratation. On égoutte enfin les pépites, puis on les assaisonne avec les condiments de notre choix (fumée liquide, tamari, miso, ketchup, sirop d'érable, ail, poudre de chili, paprika, etc.) avant de les faire revenir dans la poêle pour leur donner de la texture.

Quelle est la différence entre la PVT et le sans-viande ?

On appelle « sans-viande » les options végétariennes prêtes à manger fabriquées à partir de PVT. Le sans-viande peut donc se présenter sous forme de « viande hachée », de galettes pour les burgers, de boulettes, de saucisses, de lanières, et même de salami et de pepperoni. Bien qu'il soit très pratique, le sans-viande s'avère moins santé que la PVT, puisqu'il fait partie des aliments transformés.

Macaroni chinois

Préparation 20 minutes | **Temps de repos** 10 minutes | **Cuisson** 20 minutes | **Quantité** 4 portions

PAR PORTION	
Calories	550
Protéines	28 g
M.G.	9 g
Glucides	88 g
Fibres	9 g
Fer	5 mg
Calcium	75 mg
Sodium	1340 mg

750 ml (3 tasses) de macaronis

430 ml (1 ⅔ tasse) de bouillon de légumes

250 ml (1 tasse) de PVT (protéine végétale texturée) déshydratée

30 ml (2 c. à soupe) d'huile de sésame (non grillé)

1 oignon coupé en dés

15 ml (1 c. à soupe) d'ail haché

1 carotte coupée en dés

1 contenant de champignons blancs de 227 g, coupés en quatre

2 branches de céleri coupées en dés

80 ml (⅓ de tasse) de sauce soya

20 ml (4 c. à thé) de mélasse

Poivre au goût

10 ml (2 c. à thé) de fécule de maïs

1. Dans une casserole d'eau bouillante salée, cuire les pâtes *al dente*. Égoutter.

2. Dans la même casserole, porter 250 ml (1 tasse) de bouillon de légumes à ébullition.

3. Dans un bol, déposer la PVT. Verser le bouillon bouillant et laisser reposer 10 minutes, jusqu'à absorption complète du liquide.

4. Pendant ce temps, chauffer l'huile à feu moyen dans la même casserole. Cuire l'oignon, l'ail, la carotte, les champignons et le céleri de 4 à 5 minutes.

5. Ajouter la PVT réhydratée, le bouillon restant, la sauce soya et la mélasse. Poivrer et remuer.

6. Dans un bol, délayer la fécule dans un peu d'eau froide. Verser la fécule délayée dans la casserole en remuant. Porter à ébullition, puis laisser mijoter de 5 à 6 minutes à feu doux-moyen.

7. Ajouter les pâtes et remuer. Chauffer 1 minute.

Boulettes Tao

Préparation 25 minutes | **Temps de repos** 10 minutes | **Cuisson** 23 minutes
Quantité 4 portions (16 boulettes)

PAR PORTION	
Calories	436
Protéines	26 g
M.G.	3 g
Glucides	74 g
Fibres	12 g
Fer	5 mg
Calcium	80 mg
Sodium	1956 mg

2	oignons verts émincés
30 ml	(2 c. à soupe) de feuilles de coriandre fraîche

Pour les boulettes :

375 ml	(1 ½ tasse) de bouillon de légumes
375 ml	(1 ½ tasse) de PVT (protéine végétale texturée) déshydratée
375 ml	(1 ½ tasse) de flocons d'avoine à cuisson rapide
30 ml	(2 c. à soupe) de gingembre râpé
30 ml	(2 c. à soupe) de sauce aux huîtres
15 ml	(1 c. à soupe) d'ail haché
15 ml	(1 c. à soupe) de sauce soya
2	oignons verts hachés

1	piment thaï haché
	Sel au goût

Pour la sauce :

125 ml	(½ tasse) de bouillon de légumes
125 ml	(½ tasse) de ketchup
60 ml	(¼ de tasse) de sauce soya
60 ml	(¼ de tasse) de sirop d'érable
30 ml	(2 c. à soupe) de sauce hoisin
30 ml	(2 c. à soupe) de vinaigre de riz
15 ml	(1 c. à soupe) de gingembre râpé
10 ml	(2 c. à thé) d'ail haché
10 ml	(2 c. à thé) de fécule de maïs

1. Préchauffer le four à 205 °C (400 °F).

2. Dans une casserole, porter le bouillon de légumes pour les boulettes à ébullition.

3. Dans un bol, déposer la PVT. Verser le bouillon bouillant et laisser reposer 10 minutes, jusqu'à absorption complète du liquide.

4. Ajouter le reste des ingrédients des boulettes dans le bol contenant la PVT réhydratée. Remuer.

5. Façonner 16 boulettes en utilisant environ 30 ml (2 c. à soupe) de préparation pour chacune d'elles.

6. Sur une plaque de cuisson tapissée de papier parchemin, déposer les boulettes. Cuire au four 20 minutes en retournant les boulettes à mi-cuisson.

7. Dans une poêle, mélanger les ingrédients de la sauce. Porter à ébullition.

8. Ajouter les boulettes dans la poêle, puis laisser mijoter 3 minutes à feu doux.

9. Au moment de servir, parsemer d'oignons verts et de coriandre.

Mini-tourtières végé

Préparation 25 minutes | **Temps de repos** 10 minutes | **Cuisson** 30 minutes | **Quantité** 4 mini-tourtières

PAR PORTION	
1 mini-tourtière	
Calories	453
Protéines	18 g
M.G.	17 g
Glucides	59 g
Fibres	7 g
Fer	3 mg
Calcium	51 mg
Sodium	1183 mg

375 ml (1 ½ tasse) de bouillon de légumes

250 ml (1 tasse) de PVT (protéine végétale texturée) déshydratée

3 petites pommes de terre à chair jaune coupées en dés

15 ml (1 c. à soupe) d'huile d'olive

1 oignon coupé en dés

1 branche de céleri coupée en dés

1 carotte coupée en dés

15 ml (1 c. à soupe) d'ail haché

15 ml (1 c. à soupe) d'épices à tourtière

30 ml (2 c. à soupe) de sauce Worcestershire

Sel et poivre au goût

250 g (environ ½ lb) de pâte à tarte

1. Préchauffer le four à 205 °C (400 °F).

2. Dans une casserole, porter le bouillon de légumes à ébullition.

3. Dans un bol, déposer la PVT. Verser 250 ml (1 tasse) de bouillon bouillant et laisser reposer 10 minutes, jusqu'à absorption complète du liquide.

4. Dans une casserole, déposer les dés de pommes de terre. Couvrir d'eau froide et saler. Porter à ébullition, puis cuire de 10 à 12 minutes en prenant soin de les conserver *al dente*. Égoutter.

5. Pendant ce temps, chauffer l'huile à feu moyen dans une grande poêle. Cuire l'oignon, le céleri, la carotte et l'ail de 1 à 2 minutes.

6. Ajouter les épices à tourtière, la sauce Worcestershire, le reste du bouillon et la PVT réhydratée. Saler, poivrer et remuer. Cuire de 5 à 6 minutes à feu doux-moyen. Retirer du feu et ajouter les pommes de terre. Remuer.

7. Dans quatre mini-cassolettes, répartir la préparation à la PVT. Égaliser la surface.

8. Sur une surface légèrement farinée, abaisser la pâte à tarte. Tailler quatre cercles du même diamètre que les cassolettes dans la pâte.

9. Déposer les cercles de pâte sur les cassolettes. Presser légèrement le pourtour. Faire une petite incision au centre de la pâte pour laisser la vapeur s'échapper.

10. Cuire au four de 20 à 25 minutes, jusqu'à ce que la pâte soit dorée.

Sauté asiatique à la PVT

Préparation 20 minutes | **Temps de repos** 10 minutes | **Cuisson** 9 minutes | **Quantité** 4 portions

PAR PORTION	
Calories	339
Protéines	22 g
M.G.	8 g
Glucides	42 g
Fibres	9 g
Fer	5 mg
Calcium	92 mg
Sodium	1382 mg

375 ml   (1 ½ tasse) de bouillon de légumes

375 ml   (1 ½ tasse) de PVT (protéine végétale texturée) déshydratée

30 ml   (2 c. à soupe) d'huile de sésame (non grillé)

1   oignon haché

30 ml   (2 c. à soupe) de gingembre râpé

15 ml   (1 c. à soupe) d'ail haché

1   carotte coupée en dés

1   poivron émincé

12   pois mange-tout émincés

2   oignons verts émincés

15 ml   (1 c. à soupe) de graines de sésame

30 ml   (2 c. à soupe) de feuilles de coriandre fraîche

Pour la sauce :

125 ml   (½ tasse) de bouillon de légumes

80 ml   (⅓ de tasse) de cassonade

80 ml   (⅓ de tasse) de sauce soya

15 ml   (1 c. à soupe) de mélasse

1. Dans une casserole, porter le bouillon de légumes à ébullition.

2. Dans un bol, déposer la PVT. Verser le bouillon bouillant et laisser reposer 10 minutes, jusqu'à absorption complète du liquide.

3. Dans un bol, mélanger les ingrédients de la sauce.

4. Dans une poêle, chauffer l'huile de sésame à feu moyen. Cuire l'oignon, le gingembre, l'ail et la carotte de 2 à 3 minutes.

5. Ajouter la PVT réhydratée, le poivron et les pois mange-tout dans la poêle. Poursuivre la cuisson 2 minutes.

6. Ajouter la sauce. Porter à ébullition, puis laisser mijoter de 5 à 8 minutes à feu doux-moyen en remuant de temps en temps.

7. Au moment de servir, parsemer d'oignons verts, de graines de sésame et de coriandre.

Pâté chinois aux patates douces

Préparation 25 minutes | **Temps de repos** 10 minutes | **Cuisson** 45 minutes | **Quantité** 6 portions

PAR PORTION	
Calories	416
Protéines	23 g
M.G.	7 g
Glucides	69 g
Fibres	14 g
Fer	6 mg
Calcium	71 mg
Sodium	801 mg

500 ml (2 tasses) de bouillon de légumes

375 ml (1 ½ tasse) de PVT (protéine végétale texturée) déshydratée

4 patates douces pelées et coupées en cubes

30 ml (2 c. à soupe) de beurre

Sel et poivre au goût

10 ml (2 c. à thé) d'huile d'olive

1 oignon haché

2 branches de céleri coupées en dés

3 demi-poivrons de couleurs variées coupés en dés

15 ml (1 c. à soupe) d'ail haché

15 ml (1 c. à soupe) de poudre de chili

1 boîte de lentilles brunes de 398 ml, rincées et égouttées

2 boîtes de maïs en grains de 341 ml chacune, égoutté

1 boîte de maïs en crème de 398 ml

1. Préchauffer le four à 205 °C (400 °F).

2. Dans une casserole, porter 375 ml (1 ½ tasse) de bouillon de légumes à ébullition.

3. Dans un bol, déposer la PVT. Verser le bouillon bouillant et laisser reposer 10 minutes, jusqu'à absorption complète du liquide.

4. Dans une casserole, déposer les cubes de patates douces. Couvrir d'eau froide et saler. Porter à ébullition, puis cuire de 20 à 25 minutes. Égoutter.

5. À l'aide d'un presse-purée ou dans le contenant du robot culinaire, réduire les patates douces en purée lisse. Incorporer le beurre. Saler, poivrer et remuer.

6. Pendant ce temps, chauffer l'huile à feu moyen dans une grande poêle. Cuire l'oignon, le céleri, les poivrons et l'ail de 3 à 4 minutes.

7. Ajouter la PVT réhydratée, la poudre de chili, les lentilles et le reste du bouillon. Saler, poivrer et remuer. Porter à ébullition, puis laisser mijoter de 3 à 4 minutes.

8. Transférer la préparation à la PVT dans un plat de cuisson carré de 20 cm (8 po). Égaliser la surface.

9. Ajouter le maïs en grains et le maïs en crème. Égaliser la surface. Couvrir de purée de patates douces.

10. Cuire au four de 25 à 30 minutes.

Casserole mexicaine

Préparation 25 minutes | **Temps de repos** 10 minutes | **Cuisson** 28 minutes | **Quantité** 4 portions

PAR PORTION	
Calories	668
Protéines	41 g
M.G.	14 g
Glucides	97 g
Fibres	20 g
Fer	8 mg
Calcium	306 mg
Sodium	932 mg

1 litre (4 tasses) de bouillon de légumes

375 ml (1 ½ tasse) de PVT (protéine végétale texturée) déshydratée

15 ml (1 c. à soupe) d'huile d'olive

1 oignon haché

15 ml (1 c. à soupe) d'ail haché

15 ml (1 c. à soupe) de poudre de chili

2,5 ml (½ c. à thé) de cumin

3 demi-poivrons de couleurs variées coupés en dés

1 boîte de haricots noirs de 540 ml, rincés et égouttés

250 ml (1 tasse) de maïs en grains

250 ml (1 tasse) de riz étuvé à grains longs

Sel et poivre au goût

250 ml (1 tasse) de mélange de fromages râpés de type tex-mex

2 tomates italiennes coupées en dés

1 jalapeno coupé en fines rondelles

30 ml (2 c. à soupe) de coriandre fraîche hachée

1. Dans une casserole, porter 375 ml (1 ½ tasse) de bouillon de légumes à ébullition.

2. Dans un bol, déposer la PVT. Verser le bouillon bouillant et laisser reposer 10 minutes, jusqu'à absorption complète du liquide.

3. Dans une grande casserole, chauffer l'huile à feu moyen. Cuire la PVT réhydratée de 2 à 3 minutes, en l'égrainant à l'aide d'une cuillère en bois.

4. Ajouter l'oignon, l'ail, la poudre de chili et le cumin dans la casserole. Poursuivre la cuisson de 1 à 2 minutes en remuant.

5. Ajouter les poivrons, les haricots noirs, le maïs, le riz et le reste du bouillon de légumes. Saler, poivrer et re-muer. Porter à ébullition, puis couvrir et laisser mijoter de 25 à 30 minutes à feu doux en remuant de temps en temps, jusqu'à ce que le riz soit cuit.

6. Au moment de servir, garnir de fromage, de tomates, de jalapeno et de coriandre.

Calzones au pepperoni végé

Préparation 25 minutes | **Temps de repos** 10 minutes | **Cuisson** 42 minutes
Quantité 8 portions (4 calzones)

PAR PORTION	
½ calzone	
Calories	504
Protéines	30 g
M.G.	13 g
Glucides	71 g
Fibres	8 g
Fer	8 mg
Calcium	181 mg
Sodium	1131 mg

375 ml	(1 ½ tasse) de bouillon de légumes
375 ml	(1 ½ tasse) de PVT (protéines végétale texturée) déshydratée
15 ml	(1 c. à soupe) d'huile d'olive
1	oignon haché
1	poivron vert coupé en dés
1	contenant de champignons blancs de 227 g, émincés
15 ml	(1 c. à soupe) d'ail haché
375 ml	(1 ½ tasse) de sauce à pizza
120 g	(environ ¼ de lb) de pepperoni végétalien émincé
15 ml	(1 c. à soupe) d'herbes italiennes séchées
	Sel et poivre au goût
4	boules de pâte à pizza de 250 g (environ ½ lb) chacune
375 ml	(1 ½ tasse) de mélange de fromages italiens râpés

1. Préchauffer le four à 205 °C (400 °F).

2. Dans une casserole, porter le bouillon de légumes à ébullition.

3. Dans un bol, déposer la PVT. Verser le bouillon bouillant et laisser reposer 10 minutes, jusqu'à absorption complète du liquide.

4. Dans une grande casserole, chauffer l'huile à feu moyen. Cuire la PVT réhydratée de 2 à 3 minutes, en l'égrainant à l'aide d'une cuillère en bois.

5. Ajouter l'oignon, le poivron, les champignons et l'ail dans la casserole. Poursuivre la cuisson de 2 à 3 minutes.

6. Ajouter la sauce à pizza, le pepperoni végétalien et les herbes italiennes. Saler, poivrer et remuer. Porter à ébullition, puis laisser mijoter de 18 à 20 minutes à feu doux-moyen. Retirer du feu et laisser tiédir.

7. Sur une surface légèrement farinée, étirer chaque boule de pâte à pizza en un cercle de 25 cm (10 po) de diamètre.

8. Sur une ou deux plaques de cuisson tapissées de papier parchemin, déposer les cercles de pâte. Répartir la préparation à la PVT sur la moitié de chaque cercle de pâte. Garnir de fromage. Badigeonner le pourtour de la pâte d'eau. Rabattre la pâte sur la garniture et sceller le pourtour de la pâte à l'aide des doigts.

9. Cuire au four de 20 à 25 minutes.

Tacos à la PVT

Préparation 25 minutes | **Temps de repos** 10 minutes | **Cuisson** 22 minutes
Quantité 4 portions (8 tacos)

PAR PORTION	
Calories	461
Protéines	27 g
M.G.	21 g
Glucides	45 g
Fibres	14 g
Fer	5 mg
Calcium	125 mg
Sodium	529 mg

500 ml (2 tasses) de bouillon de légumes

375 ml (1 ½ tasse) de PVT (protéine végétale texturée) déshydratée

15 ml (1 c. à soupe) d'huile d'olive

1 oignon haché

1 poivron jaune coupé en dés

1 contenant de champignons blancs de 227 g, émincés

15 ml (1 c. à soupe) d'ail haché

15 ml (1 c. à soupe) de poudre de chili

2,5 ml (½ c. à thé) de cumin

15 ml (1 c. à soupe) de pâte de tomates

80 ml (⅓ de tasse) de persil frais haché

Sel et poivre au goût

8 coquilles à tacos

1 avocat coupé en dés

375 ml (1 ½ tasse) de laitue romaine émincée

125 ml (½ tasse) de crème sure 14 %

1. Dans une casserole, porter 375 ml (1 ½ tasse) de bouillon de légumes à ébullition.

2. Dans un bol, déposer la PVT. Verser le bouillon bouillant et laisser reposer 10 minutes, jusqu'à absorption complète du liquide.

3. Dans une grande casserole, chauffer l'huile à feu moyen. Cuire la PVT réhydratée de 2 à 3 minutes, en l'égrainant à l'aide d'une cuillère en bois.

4. Ajouter l'oignon, le poivron, les champignons et l'ail dans la casserole. Poursuivre la cuisson de 2 à 3 minutes.

5. Ajouter la poudre de chili, le cumin, la pâte de tomates, le persil et le reste du bouillon. Saler, poivrer et remuer. Porter à ébullition, puis laisser mijoter de 18 à 20 minutes à feu doux, jusqu'à évaporation presque complète du liquide.

6. Garnir les coquilles à tacos de préparation à la PVT, d'avocat, de laitue et de crème sure.

Chili végé

Préparation 25 minutes | **Temps de repos** 10 minutes | **Cuisson** 24 minutes | **Quantité** 4 portions

PAR PORTION	
Calories	423
Protéines	32 g
M.G.	6 g
Glucides	63 g
Fibres	20 g
Fer	9 mg
Calcium	161 mg
Sodium	1355 mg

375 ml (1 ½ tasse) de bouillon de légumes

375 ml (1 ½ tasse) de PVT (protéine végétale texturée) déshydratée

15 ml (1 c. à soupe) d'huile d'olive

1 oignon haché

3 demi-poivrons de couleurs variées coupés en dés

15 ml (1 c. à soupe) d'ail haché

15 ml (1 c. à soupe) de poudre de chili

2,5 ml (½ c. à thé) de cumin

5 ml (1 c. à thé) de coriandre moulue

45 ml (3 c. à soupe) de pâte de tomates

500 ml (2 tasses) de sauce tomate

1 boîte de tomates en dés de 540 ml

Sel et poivre au goût

1 boîte de haricots rouges de 540 ml, rincés et égouttés

180 ml (¾ de tasse) de maïs en grains

1. Dans une casserole, porter le bouillon de légumes à ébullition.

2. Dans un bol, déposer la PVT. Verser le bouillon bouillant et laisser reposer 10 minutes, jusqu'à absorption complète du liquide.

3. Dans une grande casserole, chauffer l'huile à feu moyen. Cuire la PVT réhydratée de 2 à 3 minutes, en l'égrainant à l'aide d'une cuillère en bois.

4. Ajouter l'oignon, les poivrons et l'ail dans la casserole. Poursuivre la cuisson de 2 à 3 minutes.

5. Ajouter la poudre de chili, le cumin, la coriandre moulue, la pâte de tomates, la sauce tomate et les tomates en dés. Saler, poivrer et remuer. Porter à ébullition, puis laisser mijoter de 10 à 12 minutes à feu doux-moyen.

6. Ajouter les haricots et le maïs dans la casserole. Remuer. Poursuivre la cuisson de 10 à 12 minutes.

Soupe-repas au chou

Préparation 25 minutes | **Cuisson** 22 minutes | **Quantité** 4 portions

PAR PORTION	
Calories	422
Protéines	26 g
M.G.	8 g
Glucides	63 g
Fibres	16 g
Fer	8 mg
Calcium	196 mg
Sodium	1351 mg

30 ml (2 c. à soupe) d'huile d'olive

2 oignons hachés

2 carottes coupées en dés

2 branches de céleri coupées en dés

750 ml (3 tasses) de chou de Savoie coupé en dés

15 ml (1 c. à soupe) de pâte de tomates

15 ml (1 c. à soupe) d'ail haché

1,5 litre (6 tasses) de bouillon de légumes

375 ml (1 ½ tasse) de PVT (protéine végétale texturée) déshydratée

1 boîte de tomates en dés de 796 ml

15 ml (1 c. à soupe) de thym frais haché

15 ml (1 c. à soupe) d'origan frais haché

1 feuille de laurier

Sel et poivre au goût

4 pommes de terre à chair jaune pelées et coupées en dés

1. Dans une grande casserole, chauffer l'huile à feu moyen. Cuire les oignons, les carottes, le céleri, le chou, la pâte de tomates et l'ail de 2 à 3 minutes.

2. Ajouter le bouillon, la PVT, les tomates en dés et les fines herbes dans la casserole. Saler, poivrer et remuer. Porter à ébullition, puis laisser mijoter de 10 à 12 minutes à feu doux-moyen.

3. Ajouter les pommes de terre. Poursuivre la cuisson de 10 à 12 minutes.

Boulettes de PVT à l'indienne

Préparation 25 minutes | **Temps de repos** 10 minutes | **Cuisson** 18 minutes
Quantité 4 portions (16 boulettes)

PAR PORTION	
Calories	502
Protéines	29 g
M.G.	20 g
Glucides	53 g
Fibres	12 g
Fer	5 mg
Calcium	170 mg
Sodium	447 mg

Pour les boulettes :

375 ml	(1 ½ tasse) de bouillon de légumes
375 ml	(1 ½ tasse) de PVT (protéine végétale texturée) déshydratée
5 ml	(1 c. à thé) de curcuma
375 ml	(1 ½ tasse) de flocons d'avoine à cuisson rapide
30 ml	(2 c. à soupe) de persil frais haché
30 ml	(2 c. à soupe) de tahini (beurre de sésame)
15 ml	(1 c. à soupe) de moutarde de Dijon
15 ml	(1 c. à soupe) de gingembre râpé
15 ml	(1 c. à soupe) de miel
5 ml	(1 c. à thé) de poudre d'ail
2	oignons verts hachés
	Sel au goût

Pour la sauce :

125 ml	(½ tasse) de yogourt grec nature 2 %
60 ml	(¼ de tasse) de mayonnaise
30 ml	(2 c. à soupe) de ciboulette fraîche hachée
15 ml	(1 c. à soupe) de tahini (beurre de sésame)
15 ml	(1 c. à soupe) de miel

1. Préchauffer le four à 205 °C (400 °F).

2. Dans une casserole, porter le bouillon de légumes à ébullition.

3. Dans un bol, déposer la PVT et le curcuma. Verser le bouillon bouillant et laisser reposer 10 minutes, jusqu'à absorption complète du liquide.

4. Ajouter le reste des ingrédients des boulettes dans le bol contenant la PVT réhydratée. Remuer.

5. Façonner 16 boulettes en utilisant environ 30 ml (2 c. à soupe) de préparation pour chacune d'elles.

6. Sur une plaque de cuisson tapissée de papier parchemin, déposer les boulettes. Cuire au four de 18 à 20 minutes en retournant les boulettes à mi-cuisson.

7. Dans un bol, mélanger les ingrédients de la sauce.

8. Servir les boulettes avec la sauce.

En à-côté

Légumes grillés

Couper 1 **oignon rouge** en quartiers, 1 **poivron jaune** en cubes, 1 **courgette** en demi-rondelles et 150 g (⅓ de lb) d'**asperges** en tronçons. Sur une plaque de cuisson tapissée de papier parchemin, mélanger les légumes avec 10 ml (2 c. à thé) de **garam masala**, 30 ml (2 c. à soupe) d'**huile de noix de coco** fondue et 2 **gousses d'ail** émincées. Saler et poivrer. Cuire au four de 20 à 25 minutes à 205 °C (400 °F) en remuant à mi-cuisson.

Salade de pâtes à la César

Préparation 25 minutes | **Temps de repos** 5 minutes | **Cuisson** 35 minutes | **Quantité** 4 portions

PAR PORTION	
Calories	459
Protéines	29 g
M.G.	14 g
Glucides	53 g
Fibres	7 g
Fer	5 mg
Calcium	268 mg
Sodium	895 mg

500 ml (2 tasses) de gemellis

80 ml (⅓ de tasse) de mayonnaise

10 ml (2 c. à thé) de jus de citron frais

60 ml (¼ de tasse) de yogourt nature 0 %

5 ml (1 c. à thé) d'ail haché

15 ml (1 c. à soupe) de câpres hachées

45 ml (3 c. à soupe) de persil frais haché

250 ml (1 tasse) de parmesan râpé

Sel et poivre au goût

1 laitue romaine coupée en morceaux

375 ml (1 ½ tasse) de croûtons à salade César

Pour le bacon de PVT :

80 ml (⅓ de tasse) de cocktail aux légumes

15 ml (1 c. à soupe) d'huile d'olive

15 ml (1 c. à soupe) de sauce Worcestershire

15 ml (1 c. à soupe) de sauce soya

2,5 ml (½ c. à thé) de poudre d'oignon

2,5 ml (½ c. à thé) de poudre d'ail

3 gouttes de fumée liquide

7,5 ml (½ c. à soupe) de levure alimentaire en flocons

5 ml (1 c. à thé) de paprika

Sel et poivre au goût

250 ml (1 tasse) de PVT (protéine végétale texturée) déshydratée

1. Préchauffer le four à 205 °C (400 °F).

2. Dans un bol, mélanger le cocktail aux légumes avec l'huile, la sauce Worcestershire, la sauce soya, la poudre d'oignon, la poudre d'ail, la fumée liquide, la levure alimentaire, 80 ml (⅓ de tasse) d'eau et le paprika. Saler, poivrer et remuer.

3. Ajouter la PVT et remuer. Laisser reposer 5 minutes.

4. Sur une plaque de cuisson tapissée de papier parchemin, étaler la préparation à la PVT. Cuire au four de 35 à 50 minutes en remuant de temps en temps, jusqu'à ce que le bacon de PVT soit croustillant. Retirer du four. Laisser tiédir, puis émietter le bacon.

5. Pendant ce temps, cuire les pâtes *al dente* dans une casserole d'eau bouillante salée. Égoutter. Refroidir sous l'eau froide et égoutter de nouveau.

6. Dans un saladier, mélanger la mayonnaise avec le jus de citron, le yogourt, l'ail, les câpres, le persil et la moitié du parmesan. Saler et poivrer.

7. Ajouter la laitue, les pâtes et les croûtons dans le saladier. Remuer.

8. Au moment de servir, garnir du reste du parmesan et de bacon de PVT.

Secret de chef

La mayo en version végane

Si on cherche à éliminer complètement les œufs de son alimentation, cela signifie que l'on doit aussi mettre de côté la mayonnaise. Heureusement, il existe une option végane ; vous n'y verrez que du feu ! Différentes marques sont offertes dans les supermarchés, mais il est aussi possible d'en faire une soi-même, avec une préparation presque identique à celle de la vraie mayonnaise. Il suffit de remplacer les œufs par du tofu soyeux mou ou de la boisson de soya. Vous obtiendrez toute la texture et l'onctuosité de la traditionnelle mayonnaise, sans aucune trace de protéines animales !

Noix et graines

Ajoutant du goût et de la texture à n'importe quel plat, les noix et les graines volent la vedette dans l'alimentation sans viande. Comme vous le constaterez, elles sont l'un des éléments principaux de notre sélection de repas bien équilibrés. Salades, potage, végépâté... Vous verrez que gourmandise et fraîcheur s'y côtoient !

Noix et graines

Prendre l'habitude d'intégrer des noix et des graines à notre alimentation quotidienne est un excellent moyen de faire le plein de protéines et de nutriments essentiels. Découvrez ici les atouts des merveilleux oléagineux !

Les oléagineux, qu'est-ce que c'est ?

Les oléagineux sont des plantes ou des arbres dont les graines ou les fruits sont particulièrement riches en huile. La catégorie des oléagineux comprend les graines dites oléagineuses (citrouille, tournesol, chia, lin, sésame, etc.) ainsi que les fruits secs oléagineux (amandes, noix, noisettes, etc.) issus de plantes. Bien qu'ils soient plutôt riches en gras, les oléagineux sont principalement composés de gras mono-insaturés et polyinsaturés, lesquels sont considérés comme de bons gras. Les oléagineux s'avèrent aussi une très bonne source de protéines, de fibres, de minéraux et de vitamines, en plus d'être exempts de cholestérol, comme tous les aliments issus du règne végétal. Bref, on gagnerait tous à les mettre au menu plus souvent !

3 conseils pour tirer profit des oléagineux :

- Se limiter à des portions de 60 ml (¼ de tasse)
- Les combiner à d'autres sources de protéines végétales
- Privilégier les noix et graines 100 % naturelles

Amandes

Les amandes peuvent se vanter de présenter une teneur très élevée en protéines et en antioxydants, mais aussi d'être une source non négligeable de fibres, dont 80 % sont solubles. Rappelons que les fibres jouent un rôle important dans le transit intestinal, en plus de favoriser la sensation de satiété. Les amandes contiennent également une grande quantité d'acides gras mono-insaturés, de bons gras reconnus pour leur effet bénéfique sur la santé cardiovasculaire, et sont une bonne source de magnésium et de vitamine B2.

60 ml (¼ de tasse) d'amandes = 7,6 g de protéines

Noix de cajou

En plus de faire partie des oléagineux les plus riches en protéines, les noix de cajou sont les moins riches en lipides. Par ailleurs, environ 60 % de ces lipides sont des acides gras mono-insaturés, de bons gras reconnus pour leur effet bénéfique sur la santé cardiovasculaire. Les noix de cajou fournissent également des oméga-3, des antioxydants, des vitamines du complexe B, de la vitamine K ainsi que du magnésium et du phosphore. À noter qu'en raison de l'huile corrosive qui est présente dans leur coquille, les noix de cajou sont toujours vendues décortiquées.

60 ml (¼ de tasse) de noix de cajou = 6 g de protéines

Arachides

Les arachides sont consommées comme des noix, mais elles appartiennent plutôt à la famille des légumineuses. Elles sont riches en antioxydants, ont une charge glycémique faible et s'avèrent une excellente source de zinc, de manganèse et de cuivre. Des études épidémiologiques associent une consommation régulière d'arachides à une diminution du cholestérol sanguin ainsi que du risque de développer certains cancers et maladies cardiovasculaires. Cette association s'explique par la teneur en magnésium, en fibres et en phytostérols des arachides, des composés dont la structure s'apparente à celle du cholestérol contenu dans les produits d'origine animale, mais qui sont bénéfiques pour la santé cardiovasculaire.

60 ml (¼ de tasse) d'arachides = 10 g de protéines

Noix de Grenoble

Les noix de Grenoble sont très riches en acides gras polyinsaturés, qui sont principalement présents sous forme d'oméga-3 essentiels. À la lumière de plusieurs études, la consommation régulière de noix de Grenoble pourrait diminuer le risque de développer certaines maladies cardiovasculaires et favoriser une meilleure élasticité des vaisseaux sanguins. Sachez que l'appellation d'origine contrôlée « noix de Grenoble » est réservée aux fruits du noyer ayant été cultivés à Grenoble. Pour cette raison, on appelle souvent « noix » celles ayant été cultivées en dehors de Grenoble.

60 ml (¼ de tasse) de noix de Grenoble = 3,9 g de protéines

Graines de citrouille · 60 ml (¼ de tasse) = 3 g de protéines

Les graines de citrouille contiennent plusieurs minéraux essentiels, comme le fer et le zinc, ainsi que des vitamines du complexe B, lesquelles sont reconnues pour favoriser la production d'énergie et prévenir la dépression et l'anxiété.

Graines de tournesol · 60 ml (¼ de tasse) = 6 g de protéines

Les graines de tournesol sont une excellente source de vitamine B5 et E ainsi qu'une bonne source de fer et de folate, lequel jouerait un rôle dans la diminution des risques de dépression. Enfin, 90 % des lipides contenus dans les graines de tournesol sont des acides gras insaturés.

Graines de sésame · 60 ml (¼ de tasse) = 6,5 g de protéines

Les graines de sésame entières (non décortiquées) sont une excellente source de calcium, de phosphore, de zinc, de fer, de cuivre et de manganèse. Elles sont également considérées comme une bonne source de fibres et de protéines.

Chia · 60 ml (¼ de tasse) = 7 g de protéines

Les graines de chia sont naturellement riches en protéines, en fibres, en fer, en calcium, en vitamine C ainsi qu'en oméga-3 et en oméga-6, des substances considérées comme essentielles au bon fonctionnement de l'organisme. Elles sont aussi une bonne source d'antioxydants.

Lin · 60 ml (¼ de tasse) = 8 g de protéines

Les graines de lin sont riches en fibres solubles et en oméga-3. Elles aident également à diminuer le risque de développer un cancer du sein et à amoindrir les syndromes de la ménopause. Notez toutefois que les graines de lin doivent être moulues pour que le corps les assimile bien.

Vive les beurres de noix !

Les beurres de noix sont fort pratiques pour ajouter des nutriments essentiels à nos repas, mais aussi à nos desserts et à nos collations. Pour éviter les additifs alimentaires, le sucre et le sodium, il vaut mieux privilégier des beurres de noix 100 % naturels, ou encore les concocter soi-même à la maison à l'aide d'un mélangeur électrique ou d'un robot culinaire.

PAR PORTION	
Calories	584
Protéines	24 g
M.G.	29 g
Glucides	57 g
Fibres	13 g
Fer	5 mg
Calcium	126 mg
Sodium	905 mg

Sandwich au végépâté

Préparation 25 minutes | **Cuisson** 34 minutes | **Quantité** 6 portions

80 ml	(⅓ de tasse) d'huile d'olive
1	oignon haché
10 ml	(2 c. à thé) d'ail haché
250 ml	(1 tasse) de carottes râpées
250 ml	(1 tasse) de patate douce pelée et râpée
125 ml	(½ tasse) de levure alimentaire en flocons
125 ml	(½ tasse) de graines de tournesol
125 ml	(½ tasse) de graines de citrouille
45 ml	(3 c. à soupe) de sauce soya réduite en sodium
125 ml	(½ tasse) de farine de blé
125 ml	(½ tasse) de bouillon de légumes chaud
15 ml	(1 c. à soupe) de jus de citron frais
15 ml	(1 c. à soupe) de moutarde de Dijon
2,5 ml	(½ c. à thé) de curcuma

Pour les sandwichs :

8	tranches de pain multigrain
½	concombre coupé en rubans
125 ml	(½ tasse) de chou rouge râpé finement
250 ml	(1 tasse) de micropousses au choix

Pour la sauce épicée :

60 ml	(¼ de tasse) de yogourt grec nature 2 %
60 ml	(¼ de tasse) de mayonnaise
15 ml	(1 c. à soupe) de sriracha
5 ml	(1 c. à thé) de miel

1. Préchauffer le four à 180 °C (350 °F).

2. Dans une grande casserole, chauffer l'huile à feu moyen. Cuire l'oignon de 2 à 3 minutes.

3. Ajouter l'ail, les carottes et la patate douce. Poursuivre la cuisson de 2 à 3 minutes.

4. Hors du feu, ajouter la levure alimentaire, les graines de tournesol, les graines de citrouille, la sauce soya, la farine, le bouillon chaud, le jus de citron, la moutarde et le curcuma. Remuer.

5. Transférer la moitié de la préparation dans le contenant du robot culinaire. Mélanger de 1 à 2 minutes, jusqu'à l'obtention d'une texture lisse. Remettre la préparation dans la casserole et remuer.

6. Tapisser un plat de cuisson carré de 20 cm (8 po) de papier parchemin, puis y déposer la préparation. Égaliser la surface.

7. Cuire au four de 30 à 40 minutes. Retirer du four et laisser tiédir.

8. Faire griller les tranches de pain au grille-pain.

9. Dans un bol, mélanger les ingrédients de la sauce.

10. Tartiner un côté de quatre tranches de pain de sauce et de végépâté. Garnir de rubans de concombre, de chou rouge et de micropousses. Refermer les sandwichs avec les tranches de pain restantes.

Bon à savoir

Quoi faire avec les restes de végépâté ?

Pas envie de perdre votre végépâté ? C'est simple ! Il suffit de varier vos sandwichs pour le lunch, en remplaçant par exemple le pain par des tortillas et en y ajoutant du fromage ! Vous pourriez aussi déguster votre végépâté à l'heure de la collation sur des craquelins. Ou pourquoi ne pas en faire des canapés agrémentés de fines herbes ou de tomates séchées ? Le végépâté se conserve de 3 à 4 jours au frigo. Il se congèle aussi très bien (en portions individuelles ou non) dans un contenant hermétique.

Salade d'amour protéinée

Préparation 25 minutes | **Marinage** 1 heure | **Cuisson** 20 minutes | **Quantité** 6 portions

PAR PORTION	
Calories	625
Protéines	27 g
M.G.	39 g
Glucides	50 g
Fibres	7 g
Fer	6 mg
Calcium	180 mg
Sodium	360 mg

1 — bloc de tofu ferme de 454 g coupé en dés

250 ml — (1 tasse) de bouillon de légumes

180 ml — (¾ de tasse) de quinoa, rincé et égoutté

15 ml — (1 c. à soupe) d'huile de canola

1 — contenant de champignons blancs de 227 g, tranchés

3 — branches de céleri émincées

2 — oignons verts émincés

1 — poivron rouge coupé en lanières

½ — petit oignon rouge coupé en fins quartiers

1 — contenant de bébés épinards de 142 g

250 ml — (1 tasse) de fèves germées

250 ml — (1 tasse) de noix de cajou

125 ml — (½ tasse) de raisins secs

125 ml — (½ tasse) de graines de tournesol

Sel et poivre au goût

Pour la vinaigrette :

80 ml — (⅓ de tasse) d'huile de canola

30 ml — (2 c. à soupe) de sauce soya réduite en sodium

30 ml — (2 c. à soupe) de vinaigre balsamique

15 ml — (1 c. à soupe) de sirop d'érable

10 ml — (2 c. à thé) de gingembre haché

10 ml — (2 c. à thé) de miel

1. Dans un bol, mélanger les ingrédients de la vinaigrette. Ajouter le tofu et remuer. Couvrir et laisser mariner au frais de 1 à 2 heures.

2. Pendant ce temps, porter le bouillon de légumes à ébullition dans une casserole. Ajouter le quinoa, puis couvrir et cuire de 15 à 18 minutes à feu doux, jusqu'à ce que le liquide soit complètement absorbé. Retirer du feu et laisser reposer 5 minutes avant de remuer à l'aide d'une fourchette. Laisser tiédir.

3. Égoutter le tofu en prenant soin de réserver la vinaigrette.

4. Dans une grande poêle, chauffer l'huile de canola à feu moyen. Faire dorer les dés de tofu sur toutes les faces de 5 à 7 minutes. Retirer du feu et laisser tiédir.

5. Dans un saladier, mélanger le quinoa avec les champignons, le tofu, le céleri, les oignons verts, le poivron, l'oignon rouge, les épinards, les fèves germées, les noix de cajou, les raisins secs, les graines de tournesol et la vinaigrette. Saler, poivrer et remuer.

Salade tiède de carottes, noix et feta

Préparation 20 minutes | **Cuisson** 25 minutes | **Quantité** 4 portions

PAR PORTION	
Calories	725
Protéines	16 g
M.G.	38 g
Glucides	83 g
Fibres	11 g
Fer	3 mg
Calcium	336 mg
Sodium	1081 mg

8	carottes coupées en biseaux
30 ml	(2 c. à soupe) d'huile d'olive
5 ml	(1 c. à thé) de grains de coriandre concassés
	Sel et poivre au goût
1	oignon haché
250 ml	(1 tasse) de riz blanc à grains longs
500 ml	(2 tasses) de bouillon de légumes
125 ml	(½ tasse) de graines de citrouille rôties
80 ml	(⅓ de tasse) de noix de pin rôties
60 ml	(¼ de tasse) de persil frais haché
30 ml	(2 c. à soupe) de coriandre fraîche hachée
125 ml	(½ tasse) de canneberges séchées
½	contenant de feta de 200 g, émiettée

Pour la vinaigrette :

45 ml	(3 c. à soupe) d'huile d'olive
30 ml	(2 c. à soupe) de jus de citron frais
15 ml	(1 c. à soupe) de vinaigre de cidre
10 ml	(2 c. à thé) de miel

1. Préchauffer le four à 205 °C (400 °F).

2. Dans un bol, mélanger les carottes avec la moitié de l'huile et les grains de coriandre. Saler, poivrer et remuer.

3. Transférer la préparation sur une plaque de cuisson tapissée de papier parchemin. Cuire au four de 25 à 30 minutes en remuant à mi-cuisson, jusqu'à ce que les carottes soient bien rôties.

4. Pendant ce temps, chauffer le reste de l'huile dans une casserole à feu moyen. Cuire l'oignon de 2 à 3 minutes.

5. Ajouter le riz et le bouillon de légumes. Porter à ébullition, puis couvrir et laisser mijoter de 15 à 18 minutes à feu doux, jusqu'à ce que le bouillon soit complètement absorbé. Retirer du feu et laisser reposer 5 minutes avant de remuer à l'aide d'une fourchette. Laisser tiédir.

6. Dans un bol, fouetter les ingrédients de la vinaigrette.

7. Dans un saladier, mélanger le riz avec les carottes rôties, les graines de citrouille, les noix de pin, le persil, la coriandre, les canneberges et la vinaigrette. Saler et poivrer. Garnir de feta émiettée.

Spaghettinis aux légumes et amandes rôties

Préparation 25 minutes | **Cuisson** 15 minutes | **Quantité** 4 portions

PAR PORTION	
Calories	792
Protéines	27 g
M.G.	37 g
Glucides	93 g
Fibres	8 g
Fer	8 mg
Calcium	275 mg
Sodium	507 mg

350 g (environ ¾ de lb) de spaghettinis

45 ml (3 c. à soupe) d'huile d'olive

1 oignon tranché

450 g (1 lb) d'asperges coupées en tronçons

3 demi-poivrons de couleurs variées coupés en lanières

10 ml (2 c. à thé) d'ail haché

15 ml (1 c. à soupe) de persil frais haché

5 ml (1 c. à thé) d'origan frais haché

2,5 ml (½ c. à thé) de flocons de piment

125 ml (½ tasse) de parmesan râpé

Sel et poivre au goût

Pour les amandes rôties :

20 ml (4 c. à thé) de sauce soya

10 ml (2 c. à thé) d'huile d'olive

10 ml (2 c. à thé) de sirop d'érable

Quelques gouttes de fumée liquide (facultatif)

250 ml (1 tasse) d'amandes tranchées

1. Préchauffer le four à 150 °C (300 °F).

2. Dans un bol, mélanger la sauce soya avec l'huile, le sirop d'érable et, si désiré, la fumée liquide. Ajouter les amandes et remuer pour bien les enrober de sauce.

3. Tapisser une plaque de cuisson de papier parchemin, puis y étaler les amandes. Cuire au four de 15 à 20 minutes en remuant à mi-cuisson, jusqu'à ce que les amandes soient bien rôties.

4. Pendant ce temps, cuire les pâtes *al dente* dans une grande casserole d'eau bouillante salée. Égoutter.

5. Dans la même casserole, chauffer l'huile à feu moyen. Cuire l'oignon, les asperges et les poivrons de 4 à 5 minutes.

6. Ajouter l'ail et poursuivre la cuisson 1 minute.

7. Remettre les pâtes dans la casserole. Ajouter le persil, l'origan, les flocons de piment et la moitié du parmesan. Saler, poivrer et remuer.

8. Garnir du reste du parmesan râpé et des amandes rôties.

Courge spaghetti, sauce coco-arachides

Préparation 20 minutes | **Cuisson** 50 minutes | **Quantité** 4 portions

PAR PORTION	
Calories	753
Protéines	18 g
M.G.	57 g
Glucides	58 g
Fibres	9 g
Fer	4 mg
Calcium	154 mg
Sodium	344 mg

2	petites courges spaghetti
30 ml	(2 c. à soupe) de beurre fondu
	Sel et poivre au goût
1	brocoli coupé en bouquets
1	poivron rouge coupé en lanières
125 ml	(½ tasse) d'arachides rôties hachées
60 ml	(¼ de tasse) de petites feuilles de coriandre fraîche

Pour la sauce :

1	boîte de lait de coco de 398 ml
125 ml	(½ tasse) de beurre d'arachide
15 ml	(1 c. à soupe) de miel
15 ml	(1 c. à soupe) de sauce soya
15 ml	(1 c. à soupe) de jus de lime frais
15 ml	(1 c. à soupe) de gingembre haché
10 ml	(2 c. à thé) d'ail haché

1. Préchauffer le four à 190 °C (375 °F).

2. Couper les courges spaghetti en deux sur la longueur. Retirer les graines et les filaments.

3. Déposer les demi-courges sur une plaque de cuisson tapissée de papier parchemin, face coupée vers le haut. Badigeonner de beurre fondu. Saler et poivrer.

4. Cuire au four de 45 à 50 minutes, jusqu'à ce que la chair des courges s'effiloche facilement à la fourchette. Retirer du four et laisser tiédir.

5. Dans une grande casserole, déposer les ingrédients de la sauce. Porter à ébullition en fouettant. Ajouter le brocoli et le poivron, puis laisser mijoter 5 minutes à feu doux.

6. Pendant ce temps, effilocher la chair des courges à l'aide d'une fourchette.

7. Répartir la chair des courges dans les assiettes. Napper de sauce, puis garnir d'arachides hachées et de coriandre.

Potage à la courge, pommes et beurre d'amande

Préparation 20 minutes | **Cuisson** 23 minutes | **Quantité** 4 portions

PAR PORTION	
Calories	463
Protéines	18 g
M.G.	20 g
Glucides	63 g
Fibres	14 g
Fer	6 mg
Calcium	254 mg
Sodium	857 mg

30 ml (2 c. à soupe) de beurre

1 oignon haché

1 poireau (partie blanche seulement) tranché

1 petite courge Butternut pelée et coupée en cubes

2 pommes Cortland pelées et coupées en cubes

10 ml (2 c. à thé) d'ail haché

1,25 litre (5 tasses) de bouillon de légumes

125 ml (½ tasse) de lentilles rouges ou corail sèches, rincées et égouttées

80 ml (⅓ de tasse) de beurre d'amande

Sel et poivre au goût

1. Dans une grande casserole, faire fondre le beurre à feu moyen. Cuire l'oignon, le poireau, la courge, les pommes et l'ail de 3 à 4 minutes en remuant de temps en temps.

2. Ajouter le bouillon de légumes, les lentilles et le beurre d'amande. Saler, poivrer et remuer. Porter à ébullition, puis couvrir et laisser mijoter de 20 à 25 minutes à feu doux, jusqu'à ce que la courge soit tendre.

3. Transférer la préparation dans le contenant du mélangeur électrique. Mélanger de 1 à 2 minutes, jusqu'à l'obtention d'une texture lisse.

Le petit extra
Bacon de noix de coco

Dans un bol, mélanger 15 ml (1 c. à soupe) de **sauce soya** avec 10 ml (2 c. à thé) de **sirop d'érable** et 2,5 ml (½ c. à thé) de **paprika fumé doux**. Ajouter 160 ml (⅔ de tasse) de **copeaux de noix de coco séchés**. Remuer pour bien les enrober de sauce. Étaler les copeaux sur une plaque de cuisson tapissée de papier parchemin. Cuire au four de 8 à 10 minutes à 180 °C (350 °F) en surveillant les copeaux en fin de cuisson afin d'éviter qu'ils ne brûlent, jusqu'à ce qu'ils soient secs et dorés. Retirer du four et laisser tiédir.

Taboulé de légumes, tofu et pacanes

Préparation 20 minutes | **Quantité** 4 portions

PAR PORTION	
Calories	494
Protéines	26 g
M.G.	35 g
Glucides	26 g
Fibres	9 g
Fer	5 mg
Calcium	263 mg
Sodium	70 mg

1 chou-fleur coupé en petits bouquets

1 bloc de tofu ferme de 454 g

1 poivron rouge coupé en dés

20 tomates cerises coupées en deux

½ concombre coupé en dés

½ petit oignon rouge haché

30 ml (2 c. à soupe) de menthe fraîche hachée

30 ml (2 c. à soupe) de graines de chia

Sel et poivre au goût

125 ml (½ tasse) de pacanes rôties hachées

Pour la vinaigrette :

60 ml (¼ de tasse) d'huile d'olive

45 ml (3 c. à soupe) de jus de citron frais

30 ml (2 c. à soupe) de persil frais haché

5 ml (1 c. à thé) de miel

1. Dans le contenant du robot culinaire, déposer le tiers du chou-fleur et du tofu. Mélanger quelques secondes, jusqu'à l'obtention d'une texture granuleuse. Transférer la préparation dans un saladier. Répéter cette étape deux fois.

2. Dans un petit bol, fouetter les ingrédients de la vinaigrette.

3. Ajouter le poivron, les tomates, le concombre, l'oignon rouge, la menthe, les graines de chia et la vinaigrette dans le saladier. Saler, poivrer et remuer. Garnir de pacanes hachées.

Salade de pommes et noix

Préparation 15 minutes | **Cuisson** 1 minute | **Quantité** 4 portions

PAR PORTION	
Calories	491
Protéines	14 g
M.G.	38 g
Glucides	25 g
Fibres	4 g
Fer	2 mg
Calcium	296 mg
Sodium	818 mg

200 g (environ ½ lb) de fromage halloumi (fromage à griller de type Doré-mi), tranché

2 pommes Cortland coupées en fins quartiers

4 à 6 radis tranchés finement

2 branches de céleri tranchées

½ petit oignon rouge tranché

1 litre (4 tasses) de bébés épinards

60 ml (¼ de tasse) de pacanes

60 ml (¼ de tasse) de noix de Grenoble hachées

60 ml (¼ de tasse) de graines de citrouille

Pour la vinaigrette :

60 ml (¼ de tasse) d'huile d'olive

45 ml (3 c. à soupe) de vinaigre de cidre

30 ml (2 c. à soupe) de sirop d'érable

15 ml (1 c. à soupe) de moutarde à l'ancienne

10 ml (2 c. à thé) d'ail haché

Sel et poivre au goût

1. Chauffer une grande poêle antiadhésive à feu moyen. Faire dorer les tranches de halloumi de 30 secondes à 1 minute de chaque côté. Retirer du feu et laisser tiédir.

2. Dans un saladier, fouetter les ingrédients de la vinaigrette.

3. Ajouter les pommes, les radis, le céleri, l'oignon, les bébés épinards, les pacanes, les noix de Grenoble et les graines de tournesol dans le saladier. Remuer. Garnir des tranches de halloumi grillé.

Quinoa et grains entiers

Quinoa, orge, blé entier... Il existe autant de grains entiers qu'il y a de possibilités dans l'assiette ! Polyvalents, faciles à cuisiner et riches en nutriments de toutes sortes, les différents grains entiers sont mis de l'avant dans cette section où on met en vedette leur utilisation.

Quinoa et grains entiers

Apprenez-en davantage sur ce que ces miraculeux petits grains ont à vous offrir et faites le plein d'idées pour les intégrer à votre alimentation de belle façon !

Un grain entier, c'est quoi ?

On appelle « grains entiers » les différents grains qui contiennent les trois parties du grain. La première est le **son**, lequel renferme une grande quantité de fibres et de vitamine B. La deuxième est l'**endosperme**, qui contient des glucides et des protéines. La troisième est le **germe**, gorgé d'antioxydants, de vitamines, de minéraux et de bons gras. Par opposition aux grains entiers, les grains raffinés, aussi appelés « grains blancs » (par exemple le riz blanc et la farine blanche), se voient débarrassés de leur son et de leur germe pendant le processus de transformation. Les fibres, les vitamines et les minéraux sont donc retirés.

Le quinoa : l'exception à la règle

Les grains de quinoa sont considérés comme des grains entiers, bien qu'ils aient été débarrassés d'une partie de leur couche extérieure pendant le processus de transformation. Cela dit, en raison du taux élevé de fibres qu'il présente, le quinoa mérite sa place dans la catégorie des grains entiers.

Paëlla végé lentilles et quinoa, page 224

Le rôle des grains entiers dans l'organisme

Plusieurs études ont démontré que la consommation de grains entiers pouvait jouer un rôle dans la prévention des maladies cardiovasculaires, notamment en réduisant le taux de mauvais cholestérol dans le sang. Des liens ont aussi été établis entre la consommation régulière de grains entiers et une plus grande longévité.

Comme le recommande le nouveau *Guide alimentaire canadien*, nos assiettes devraient être composées d'un quart de grains entiers. Notez qu'une portion de grains entiers correspond à 28 g.

Quelques pièges à éviter pour faire les bons choix

Qu'on se le dise, les termes commerciaux dans l'industrie alimentaire peuvent être trompeurs. Par exemple, méfiez-vous des mentions « multigrain », « biologique » et « fait avec des grains entiers », qui ne signifient en aucun cas que le produit est composé en majeure partie de grains entiers. Voici ce sur quoi porter attention lorsque vous lisez les étiquettes pour ne pas vous laisser berner.

Céréales : le terme « entier » devrait suivre le nom de chaque grain détaillé dans la liste des ingrédients. Par exemple, « avoine entière », « seigle entier », « kamut entier », etc.

Pains : au Canada, l'expression « blé entier » ne peut être utilisée que si le blé contient 95 % du grain intact, le germe et une partie du son se trouvant bien souvent dans le 5 % manquant. Il vaut donc mieux privilégier les pains affichant la mention « 100 % grains entiers ».

Pâtes : privilégiez les pâtes faites de blé entier, de riz brun ou encore de grains de seigle entiers.

Liste non exhaustive des grains entiers

- Amarante
- Avoine
- Blé entier
- Maïs soufflé
- Millet
- Orge mondé
- Quinoa
- Riz brun
- Riz sauvage
- Sarrasin

Zoom sur 5 grains entiers

Le quinoa • 125 ml (½ tasse) = 2,6 g de protéines et 1,4 g de fibres

Le quinoa est aussi une bonne source de vitamine B2, de fer non héminique, de manganèse, de zinc et de cuivre. Le quinoa est par ailleurs exempt de gluten.

Le riz brun • 125 ml (½ tasse) = 3 g de protéines et 2 g de fibres

Notez que le riz brun est considéré comme le plus nutritif des riz. Il s'agit notamment d'une bonne source de vitamines du groupe B.

L'avoine • 125 ml (½ tasse) = 6 g de protéines et 4 g de fibres

L'avoine est une très bonne source de beta-glucan, une fibre soluble reconnue pour diminuer le cholestérol sanguin et la glycémie. Le son d'avoine, quant à lui, est une excellente source de phosphore et de magnésium ainsi que de fer et de vitamine B1.

L'orge mondé • 125 ml (½ tasse) = 12 g de protéines et 16 g de fibres

Il contient du fer, du magnésium, du cuivre et du phosphore. On trouve aussi dans l'orge mondé des vitamines B3 et B6.

La farine de blé à grains entiers • 125 ml (½ tasse) = 9 g de protéines et 7 g de fibres

En plus d'être une source d'antioxydants, le blé renferme du fer et du zinc. Les vitamines B1, B3, B6 et E font aussi partie de ses atouts.

Crêpes-repas épinards et cheddar

Préparation 20 minutes | **Cuisson** 27 minutes | **Quantité** 4 portions (8 crêpes)

PAR PORTION	
Calories	672
Protéines	31 g
M.G.	38 g
Glucides	53 g
Fibres	6 g
Fer	4 mg
Calcium	576 mg
Sodium	540 mg

45 ml	(3 c. à soupe) de beurre
1	oignon haché
1	contenant de champignons blancs de 227 g
500 ml	(2 tasses) d'épinards
60 ml	(¼ de tasse) de farine tout usage
875 ml	(3 ½ tasses) de lait 2 %
	Sel et poivre au goût
310 ml	(1 ¼ tasse) de farine de blé entier
1	pincée de sel
150 g	(⅓ de lb) de tofu soyeux mou
45 ml	(3 c. à soupe) d'huile d'olive
250 ml	(1 tasse) de cheddar fort
30 ml	(2 c. à soupe) de persil frais haché

1. Préchauffer le four à 190 °C (375 °F).

2. Dans une poêle, faire fondre le beurre à feu moyen. Cuire l'oignon, les champignons et les épinards de 2 à 3 minutes.

3. Saupoudrer de farine et remuer. Incorporer graduellement 375 ml (1 ½ tasse) de lait en fouettant. Porter à ébullition, puis laisser mijoter de 3 à 4 minutes à feu doux. Saler, poivrer et remuer. Réserver au chaud.

4. Dans un bol, mélanger la farine de blé avec le sel.

5. Dans un autre bol, fouetter le reste du lait avec le tofu et 30 ml (2 c. à soupe) d'huile.

6. Incorporer les ingrédients humides aux ingrédients secs et remuer jusqu'à l'obtention d'une préparation lisse.

7. Dans une poêle, chauffer le reste de l'huile à feu moyen. Verser environ 80 ml (⅓ de tasse) de pâte par crêpe en inclinant la poêle dans tous les sens pour bien en couvrir le fond. Cuire de 1 à 2 minutes de chaque côté, jusqu'à ce que la crêpe soit dorée. Répéter avec le reste de la pâte de manière à obtenir huit crêpes.

8. Sur une surface de travail, déposer les crêpes. Garnir chaque crêpe de 80 ml (⅓ de tasse) de préparation aux épinards. Rouler les crêpes et les déposer dans un plat de cuisson de 20 cm (8 po). Garnir de cheddar.

9. Cuire au four de 6 à 8 minutes, jusqu'à ce que le fromage soit fondu.

10. Au moment de servir, parsemer de persil.

Orge au maïs et courgette

Préparation 15 minutes | **Cuisson** 43 minutes | **Quantité** 4 portions

PAR PORTION	
Calories	378
Protéines	15 g
M.G.	11 g
Glucides	61 g
Fibres	12 g
Fer	3 mg
Calcium	90 mg
Sodium	519 mg

15 ml	(1 c. à soupe) d'huile d'olive
1	oignon haché
10 ml	(2 c. à thé) d'ail haché
500 ml	(2 tasses) de maïs en grains
250 ml	(1 tasse) d'orge mondé
625 ml	(2 ½ tasses) de bouillon de légumes
10 ml	(2 c. à thé) d'herbes italiennes séchées
	Sel et poivre au goût
1	courgette coupée en dés
100 g	(3 ½ oz) de fromage de chèvre émietté
30 ml	(2 c. à soupe) de persil frais haché

1. Préchauffer le four à 180 °C (350 °F).

2. Dans une casserole allant au four, chauffer l'huile à feu moyen. Cuire l'oignon et l'ail de 1 à 2 minutes.

3. Ajouter le maïs et poursuivre la cuisson de 2 à 3 minutes.

4. Ajouter l'orge, le bouillon et les herbes italiennes. Saler, poivrer et remuer. Porter à ébullition. Couvrir et poursuivre la cuisson au four de 35 à 40 minutes.

5. Ajouter la courgette et poursuivre la cuisson 5 minutes, jusqu'à ce que l'orge soit tendre.

6. Au moment de servir, garnir de fromage de chèvre et de persil.

Quinoa à la courge et graines de citrouille

Préparation 20 minutes | **Cuisson** 19 minutes | **Quantité** 8 portions

PAR PORTION	
Calories	384
Protéines	18 g
M.G.	14 g
Glucides	51 g
Fibres	10 g
Fer	5 mg
Calcium	164 mg
Sodium	217 mg

500 ml (2 tasses) de quinoa

15 ml (1 c. à soupe) d'huile d'olive

2 oignons hachés

15 ml (1 c. à soupe) d'ail haché

1 petite courge Butternut de 1,5 kg (3 ⅓ lb) coupée en dés

24 choux de Bruxelles coupés en deux

1 litre (4 tasses) de bouillon de légumes réduit en sodium

3 tiges de thym frais

1 feuille de laurier

125 ml (½ tasse) de graines de citrouille

125 ml (½ tasse) de parmesan râpé

1. Rincer le quinoa à l'eau froide. Égoutter.

2. Dans une casserole, chauffer l'huile à feu moyen. Cuire les oignons et l'ail 1 minute.

3. Ajouter la courge Butternut, les choux de Bruxelles et le quinoa dans la casserole. Remuer.

4. Ajouter le bouillon, les fines herbes, les graines de citrouille et 90 ml (⅓ de tasse + 2 c. à thé) de parmesan. Porter à ébullition, puis couvrir et laisser mijoter de 18 à 20 minutes, jusqu'à absorption complète du liquide.

5. Au moment de servir, garnir du reste du parmesan.

Quiche en croûte de quinoa et graines de lin

Préparation 25 minutes | **Cuisson** 1 heure 5 minutes | **Quantité** 4 portions

PAR PORTION	
Calories	445
Protéines	24 g
M.G.	22 g
Glucides	38 g
Fibres	6 g
Fer	4 mg
Calcium	154 mg
Sodium	493 mg

250 ml (1 tasse) de quinoa

375 ml (1 ½ tasse) de bouillon de légumes

45 ml (3 c. à soupe) de graines de lin moulues

6 œufs (1 blanc et 5 entiers)

Sel et poivre au goût

125 ml (½ tasse) de crème à cuisson 15 %

30 ml (2 c. à soupe) de ciboulette fraîche hachée

45 ml (3 c. à soupe) de persil frais haché

½ chou-fleur coupé en petits bouquets

100 g (3 ½ oz) de bûchette de fromage de chèvre coupée en rondelles

6 champignons blancs émincés

1. Préchauffer le four à 205 °C (400 °F).

2. Rincer le quinoa à l'eau froide. Égoutter.

3. Dans une casserole, déposer le quinoa et le bouillon de légumes. Porter à ébullition, puis couvrir et cuire de 15 à 20 minutes à feu doux-moyen, jusqu'à ce que le liquide soit complètement absorbé. Retirer du feu et laisser tiédir.

4. Dans un bol, mélanger les graines de lin avec 45 ml (3 c. à soupe) d'eau. Laisser reposer 5 minutes.

5. Dans un autre bol, mélanger le quinoa cuit avec les graines de lin et le blanc d'œuf. Saler, poivrer et remuer.

6. Pétrir la préparation au quinoa de 1 à 2 minutes, jusqu'à l'obtention d'une pâte. Au besoin, ajouter 15 ml (1 c. à soupe) d'eau.

7. Beurrer un moule à tarte à fond amovible de 23 cm (9 po) de diamètre, puis y étaler la croûte. Presser fermement sur le fond et les parois afin d'obtenir une croûte uniforme. Cuire au four de 25 à 30 minutes.

8. Dans un bol, fouetter les œufs entiers avec la crème et les fines herbes. Saler, poivrer et remuer.

9. Ajouter le chou-fleur, les rondelles de fromage de chèvre et les champignons dans le moule à tarte, puis verser la préparation aux œufs.

10. Cuire au four de 25 à 30 minutes.

On craque pour les cocos !

Les adeptes du régime lacto-ovo-végétarien consomment des produits d'origine végé-tale, des produits laitiers et des œufs. Même s'il s'agit d'une protéine d'origine animale, les œufs font partie de l'alimentation de bon nombre de végétariens, notamment en raison de leur valeur nutritive des plus intéressantes. Un seul gros œuf contient 6 g de protéines dites complètes, en plus de proposer une foule de nutriments essentiels parmi lesquels figurent les vitamines A, B2, B12 et D, ainsi que le fer, le phosphore et le zinc.

Quinoa aux champignons

Préparation 15 minutes | **Cuisson** 15 minutes | **Quantité** 4 portions

PAR PORTION	
Calories	521
Protéines	24 g
M.G.	32 g
Glucides	41 g
Fibres	6 g
Fer	5 mg
Calcium	162 mg
Sodium	613 mg

250 ml (1 tasse) de quinoa

500 ml (2 tasses) de bouillon de légumes

2 contenants de champignons blancs de 227 g chacun, coupés en quartiers

45 ml (3 c. à soupe) d'huile d'olive

125 ml (½ tasse) de parmesan râpé

125 ml (½ tasse) de graines de citrouille

15 ml (1 c. à soupe) de jus de citron frais

30 ml (2 c. à soupe) de persil frais haché

15 ml (1 c. à soupe) d'origan frais haché

Sel et poivre au goût

1. Préchauffer le four à 220 °C (425 °F).

2. Rincer le quinoa à l'eau froide. Égoutter.

3. Dans une casserole, déposer le quinoa et verser le bouillon de légumes. Porter à ébullition, puis couvrir et laisser mijoter de 15 à 18 minutes à feu doux, jusqu'à absorption presque complète du liquide. Laisser reposer 5 minutes avant de remuer à l'aide d'une fourchette.

4. Pendant ce temps, déposer les quartiers de champignons sur une plaque de cuisson tapissée de papier parchemin. Arroser de 15 ml (1 c. à soupe) d'huile. Cuire au four de 15 à 18 minutes en remuant les champignons à mi-cuisson.

5. Dans un saladier, mélanger le quinoa cuit avec les champignons, le parmesan, les graines de citrouille, le jus de citron, le reste de l'huile, le persil et l'origan. Saler, poivrer et remuer.

Bouchées de quinoa et fromage

Préparation 15 minutes | **Cuisson** 38 minutes | **Quantité** 4 portions

PAR PORTION	
Calories	375
Protéines	25 g
M.G.	19 g
Glucides	28 g
Fibres	2 g
Fer	2 mg
Calcium	402 mg
Sodium	343 mg

180 ml (¾ de tasse) de quinoa

15 ml (1 c. à soupe) d'assaisonnements italiens

375 ml (1 ½ tasse) de fromage havarti râpé

500 ml (2 tasses) de juliennes de légumes (navet, carottes et brocoli)

6 œufs battus

Sel et poivre au goût

1. Préchauffer le four à 190 °C (375 °F).

2. Rincer le quinoa à l'eau froide. Égoutter.

3. Dans une casserole, cuire le quinoa selon les indications de l'emballage.

4. Transférer le quinoa dans un bol. Laisser reposer 5 minutes avant de remuer à l'aide d'une fourchette. Laisser tiédir.

5. Ajouter les assaisonnements italiens, le fromage, les juliennes de légumes et les œufs battus dans le bol. Saler, poivrer et remuer.

6. Huiler les douze alvéoles d'un moule à muffins, puis y répartir la préparation. Presser avec le dos d'une cuillère.

7. Cuire au four de 20 à 25 minutes.

Le petit extra

Sauce tomate au basilic

Dans une casserole, chauffer 15 ml (1 c. à soupe) d'**huile d'olive** à feu moyen. Cuire 1 **oignon** haché et 1 gousse d'**ail** hachée 1 minute. Ajouter 1 boîte de **tomates en dés** de 540 ml, 60 ml (¼ de tasse) de **ketchup** et 10 ml (2 c. à thé) de **thym frais** haché. Saler, poivrer et remuer. Porter à ébullition, puis laisser mijoter de 8 à 10 minutes à feu doux-moyen. Ajouter 30 ml (2 c. à soupe) de **basilic frais** émincé. Remuer.

Paëlla végé lentilles et quinoa

Préparation 15 minutes | **Cuisson** 17 minutes | **Quantité** 4 portions

PAR PORTION	
Calories	434
Protéines	20 g
M.G.	8 g
Glucides	74 g
Fibres	11 g
Fer	7 mg
Calcium	70 mg
Sodium	101 mg

15 ml — (1 c. à soupe) d'huile d'olive

3 — demi-poivrons de couleurs variées coupés en lanières

1 — petit oignon émincé

10 ml — (2 c. à thé) de paprika fumé doux

250 ml — (1 tasse) de quinoa, rincé et égoutté

250 ml — (1 tasse) de lentilles corail ou rouges sèches, rincées et égouttées

30 ml — (2 c. à soupe) de pâte de tomates

625 ml — (2 ½ tasses) de bouillon de légumes sans sel ajouté

Sel et poivre au goût

30 ml — (2 c. à soupe) de persil frais haché

1. Dans une grande poêle à haut rebord, chauffer l'huile à feu moyen. Cuire les poivrons et l'oignon de 2 à 3 minutes.

2. Ajouter le paprika fumé, le quinoa, les lentilles, la pâte de tomates et le bouillon de légumes dans la poêle. Porter à ébullition, puis laisser mijoter de 15 à 18 minutes à feu doux, jusqu'à ce que le quinoa et les lentilles soient tendres. Saler, poivrer et remuer.

3. Au moment de servir, garnir de persil.

Salade de couscous style tacos

Préparation 15 minutes | **Cuisson** 3 minutes | **Quantité** 4 portions

PAR PORTION	
Calories	711
Protéines	22 g
M.G.	26 g
Glucides	106 g
Fibres	24 g
Fer	5 mg
Calcium	109 mg
Sodium	183 mg

250 ml (1 tasse) de bouillon de légumes sans sel ajouté

250 ml (1 tasse) de couscous de blé entier

10 ml (2 c. à thé) d'huile d'olive

250 ml (1 tasse) de haricots noirs, rincés et égouttés

60 ml (¼ de tasse) de coriandre fraîche hachée

2 tomates coupées en dés

1 avocat coupé en dés

½ petit oignon rouge coupé en dés

Pour la vinaigrette :

60 ml (¼ de tasse) d'huile d'olive

60 ml (¼ de tasse) de jus de lime frais

20 ml (4 c. à thé) de miel

5 ml (1 c. à thé) de poudre de chili

Sel et poivre au goût

1. Dans une casserole, porter le bouillon de légumes à ébullition.

2. Dans un bol, mélanger le couscous avec l'huile.

3. Verser le bouillon bouillant sur le couscous. Couvrir et laisser reposer 5 minutes avant d'égrainer le couscous à l'aide d'une fourchette. Laisser tiédir.

4. Dans un saladier, fouetter les ingrédients de la vinaigrette avec 60 ml (¼ de tasse) d'eau.

5. Ajouter le couscous, les haricots noirs, la coriandre, les tomates, l'avocat et l'oignon rouge dans le saladier. Remuer délicatement.

Légumes

Bien qu'ils ne soient pas une source assez significative de protéines pour composer l'essentiel d'un menu végétarien, les légumes ont assurément une place de choix dans ce type d'alimentation! On les met en valeur dans des lasagnes, des bouillis et en gratin ou on les farcit dans cette section vitaminée.

10 légumes rassasiants

Pour être considérés comme rassasiants, les légumes doivent être riches en protéines et en fibres. Voici une sélection de 10 légumes, classés du plus protéiné au moins protéiné, sur lesquels miser pour profiter de mets végé qui vous sustenteront toute la journée.

1. Pois verts

Une portion de 125 ml (½ tasse) de pois verts bouillis et égouttés contient **4,5 g de protéines** et 5,6 g de fibres. Les pois verts bouillis sont aussi une source de fer et de cuivre, tandis que les pois crus sont une source de zinc, de manganèse et de cuivre. Qu'ils soient bouillis ou crus, les pois verts sont des sources de vitamine C et K.

2. Choux de Bruxelles

Une portion de 100 g (3 ½ oz) de choux de Bruxelles cuits contient **2,6 g de protéines** et 4,6 g de fibres. Les choux de Bruxelles sont aussi une bonne façon de faire le plein de vitamine C, de calcium, lequel aide à maintenir une bonne santé dentaire et osseuse, et de potassium, qui assure la contraction des muscles du corps.

3. Haricots verts

Une portion de 100 g (3 ½ oz) de haricots verts contient **2 g de protéines** et 4 g de fibres. Le haricot cru est également une source de vitamine C, de vitamine B2 et de vitamine K. Enfin, qu'il soit cru ou bouilli, le haricot est une source de manganèse et de folate, une vitamine qui participe à la fabrication des cellules du corps.

4. Avocat

Une portion de 100 g (3 ½ oz) d'avocat (environ ½ avocat) contient **1,8 g de protéines** et 5,1 g de fibres. L'avocat est riche en antioxydants et en gras insaturés, lesquels sont considérés comme de bons gras jouant un rôle dans la prévention de maladies cardiovasculaires. Il s'agit aussi d'une source de zinc, de vitamine K et de vitamine B6.

5. Patate douce

Une portion de 100 g (3 ½ oz) de patate douce renferme **1,7 g de protéines** et 2,9 g de fibres. La patate douce possède un indice glycémique inférieur à celui de la pomme de terre ordinaire et renferme 50 % plus de fibres que cette dernière. Enfin, la patate douce est une source de vitamine A, de vitamine B6 et de vitamine C.

6. Chou-fleur

Une portion de 100 g (3 ½ oz) de chou-fleur cuit renferme **1,6 g de protéines** et 2 g de fibres. Le chou-fleur bouilli ou surgelé constitue une source de vitamine C et de vitamine K. On trouve aussi dans le chou-fleur du fer, du zinc et du sélénium, un composé aidant à prévenir l'apparition de certains types de cancer.

7. Brocoli

Une portion de 125 ml (½ tasse) de brocoli cru haché contient **1,3 g de protéines** et 1,1 g de fibres. Une fois bouilli, égoutté et haché, il contient 2 g de protéines et 2 g de fibres pour la même quantité. Le brocoli bouilli est aussi une excellente source de vitamine C et de vitamine K.

8. Courge

Une portion de 100 g (3 ½ oz) de courge d'hiver crue contient **1 g de protéines** et 1,4 g de fibres. En outre, la courge contient une grande quantité de béta-carotène, un composé qui, en plus d'être une source de vitamine A pour l'organisme, possède un pouvoir antioxydant. La courge est aussi une source de vitamine C et de manganèse.

9. Carotte

Une carotte crue mesurant entre 18 et 22 cm contient **0,7 g de protéines** et 1,8 g de fibres. Une portion de 125 ml (½ tasse) de carottes bouillies, égouttées et coupées en rondelles contient plutôt 0,6 g de protéines et 2,2 g de fibres. Les carottes, qu'elles soient crues ou cuites, sont une excellente source de vitamine A et de caroténoïdes, de puissants antioxydants.

10. Courgette

Une portion de 100 g (3 ½ oz) de courgette cuite contient **0,6 g de protéines** et 0,9 g de fibres. Mettre les courgettes au menu permet aussi de profiter des bienfaits des vitamines du groupe B ainsi que de phosphore, de magnésium et de potassium. Il est préférable de manger la courgette avec la pelure pour en tirer un maximum de bénéfices.

Poivrons farcis, page 250

Gratin de légumes

Préparation 25 minutes | **Cuisson** 36 minutes | **Quantité** 4 portions

PAR PORTION	
Calories	685
Protéines	29 g
M.G.	37 g
Glucides	64 g
Fibres	9 g
Fer	4 mg
Calcium	743 mg
Sodium	633 mg

½	chou-fleur coupé en petits bouquets
2	carottes coupées en rondelles
3	panais coupés en rondelles
4	pommes de terre pelées et coupées en cubes
1	brocoli coupé en petits bouquets
12	asperges coupées en tronçons
60 ml	(¼ de tasse) de beurre
1	oignon haché
15 ml	(1 c. à soupe) d'ail haché
80 ml	(⅓ de tasse) de farine tout usage
750 ml	(3 tasses) de lait 2 %
0,625 ml	(⅛ de c. à thé) de muscade
	Sel et poivre au goût
80 ml	(⅓ de tasse) de persil frais haché
45 ml	(3 c. à soupe) de basilic frais émincé
500 ml	(2 tasses) de cheddar râpé

1. Préchauffer le four à 205 °C (400 °F).

2. Dans une casserole d'eau bouillante salée, cuire le chou-fleur, les carottes, les panais et les pommes de terre de 10 à 12 minutes, jusqu'à tendreté. Environ 5 minutes avant la fin de la cuisson des légumes, ajouter le brocoli et les asperges. Égoutter.

3. Dans la même casserole, faire fondre le beurre à feu moyen. Cuire l'oignon et l'ail de 1 à 2 minutes.

4. Saupoudrer de farine et remuer. Verser le lait et ajouter la muscade. Saler et poivrer. Porter à ébullition en fouettant constamment.

5. Remettre les légumes dans la casserole. Ajouter les fines herbes et la moitié du cheddar. Remuer.

6. Transvider la préparation dans un plat de cuisson. Couvrir du reste du cheddar.

7. Cuire au four de 25 à 30 minutes.

Bon à savoir

Les produits laitiers à la rescousse

Les produits laitiers permettent souvent de garantir un apport suffisant en protéines dans le cadre d'une alimentation végétarienne. Ils en fournissent une quantité appréciable d'environ 8 g par portion de 250 ml, ce qui permet de combler facilement les besoins lors d'un repas qui ne contient pas les 15 à 20 g de protéines nécessaires pour conserver un bon niveau d'énergie. Pour profiter de façon optimale de leurs nutriments (vitamine D, calcium, protéines), assurez-vous de consommer des produits variés plutôt que d'un seul type.

Bouilli végétarien

Préparation 20 minutes | **Cuisson** 36 minutes | **Quantité** 4 portions

15 ml (1 c. à soupe) d'huile d'olive

1 oignon haché

15 ml (1 c. à soupe) d'ail haché

180 ml (¾ de tasse) de vin blanc

1,5 litre (6 tasses) de bouillon de légumes

2 carottes coupées en tronçons

1 petit rutabaga pelé et coupé en cubes

12 pommes de terre grelots

1 poireau coupé en larges rondelles

½ petit chou de Savoie coupé en quartiers

3 clous de girofle

3 tiges de thym frais

1 feuille de laurier

Sel et poivre au goût

150 g (⅓ de lb) de haricots verts coupés en deux

1 bloc de tofu ferme de 454 g, coupé en cubes

1. Dans une casserole, chauffer l'huile à feu moyen. Cuire l'oignon et l'ail de 1 à 2 minutes.

2. Verser le vin blanc et le bouillon dans la casserole, puis porter à ébullition.

3. Ajouter les carottes, le rutabaga, les pommes de terre, le poireau, le chou, les clous de girofle et les fines herbes. Saler, poivrer et remuer. Porter de nouveau à ébullition, puis couvrir et laisser mijoter 30 minutes à feu doux-moyen.

4. Ajouter les haricots verts et le tofu. Prolonger la cuisson de 5 à 8 minutes, jusqu'à ce que les légumes soient tendres.

5. Au moment de servir, retirer la feuille de laurier.

Sandwichs aux légumes grillés

Préparation 20 minutes | **Cuisson** 20 minutes | **Quantité** 4 portions

PAR PORTION	
Calories	553
Protéines	15 g
M.G.	28 g
Glucides	68 g
Fibres	9 g
Fer	5 mg
Calcium	184 mg
Sodium	686 mg

2   portobellos émincés

8   choux de Bruxelles émincés

3   demi-poivrons de couleurs variées émincés

1   oignon rouge émincé

1   courgette coupée en demi-rondelles

60 ml   (¼ de tasse) de persil frais haché

30 ml   (2 c. à soupe) d'origan frais haché

4   pains à sous-marin

125 ml   (½ tasse) de houmous

Pour l'huile parfumée :

60 ml   (¼ de tasse) d'huile d'olive

30 ml   (2 c. à soupe) de sirop d'érable

10 ml   (2 c. à thé) de poudre d'oignon

10 ml   (2 c. à thé) de poudre d'ail

10 ml   (2 c. à thé) de thym frais haché

10 ml   (2 c. à thé) de paprika fumé doux

Sel et poivre au goût

Pour la sauce :

60 ml   (¼ de tasse) de crème sure 14 %

30 ml   (2 c. à soupe) de mayonnaise

5 ml   (1 c. à thé) d'assaisonnements à salade

2,5 ml   (½ c. à thé) de paprika fumé doux

1. Préchauffer le four à 205 °C (400 °F).

2. Dans un bol, mélanger les ingrédients de la sauce. Réserver.

3. Dans un autre bol, mélanger les ingrédients de l'huile parfumée.

4. Ajouter les portobellos, les choux de Bruxelles, les poivrons, l'oignon rouge, la courgette et les fines herbes dans le bol contenant l'huile parfumée. Remuer.

5. Sur une ou plusieurs plaques de cuisson tapissées de papier parchemin, déposer les légumes, sans les superposer.

6. Cuire au four de 20 à 25 minutes, en remuant les légumes à mi-cuisson.

7. Tartiner l'intérieur des pains de houmous. Garnir les pains de la préparation aux légumes grillés et napper de sauce.

Avocats farcis

Préparation 15 minutes | **Cuisson** 19 minutes | **Quantité** 4 portions

PAR PORTION	
Calories	676
Protéines	16 g
M.G.	45 g
Glucides	63 g
Fibres	21 g
Fer	6 mg
Calcium	81 mg
Sodium	325 mg

125 ml (½ tasse) de quinoa, rincé et égoutté

180 ml (¾ de tasse) de bouillon de légumes

Sel et poivre au goût

30 ml (2 c. à soupe) d'huile d'olive

1 citron (zeste et jus)

30 ml (2 c. à soupe) de ciboulette fraîche hachée

45 ml (3 c. à soupe) de persil frais haché

15 ml (1 c. à soupe) de miel

½ boîte de lentilles vertes de 398 ml, rincées et égouttées

125 ml (½ tasse) de maïs en grains

2 tomates italiennes épépinées et coupées en dés

160 ml (⅔ de tasse) de concombre coupé en dés

30 ml (2 c. à soupe) d'huile d'avocat

4 avocats coupés en deux et dénoyautés

1. Dans une casserole, déposer le quinoa et le bouillon. Saler et poivrer. Porter à ébullition, puis laisser mijoter de 18 à 20 minutes, jusqu'à absorption complète du liquide. Retirer du feu et laisser tiédir.

2. Dans un bol, mélanger l'huile avec le zeste et le jus de citron, les fines herbes et le miel. Ajouter les lentilles, le maïs en grains, les tomates, le concombre et le quinoa. Saler, poivrer et remuer.

3. Dans une poêle, chauffer l'huile d'avocat à feu moyen. Faire griller les avocats côté chair 1 minute.

4. Garnir les avocats de préparation au quinoa.

PAR PORTION	
Calories	441
Protéines	9 g
M.G.	9 g
Glucides	85 g
Fibres	6 g
Fer	2 mg
Calcium	91 mg
Sodium	1201 mg

Chou-fleur coréen

Préparation 15 minutes | **Cuisson** 15 minutes | **Quantité** 4 portions

250 ml (1 tasse) de riz blanc à grains longs

30 ml (2 c. à soupe) d'huile de sésame (non grillé)

1 chou-fleur coupé en petits bouquets

1 oignon haché

15 ml (1 c. à soupe) de gingembre râpé

15 ml (1 c. à soupe) d'ail haché

2 oignons verts émincés

15 ml (1 c. à soupe) de graines de sésame

Pour la sauce :

125 ml (½ tasse) de pâte de piments rouges coréenne (gochujang) ou de sauce sucrée aux piments chili

60 ml (¼ de tasse) de bouillon de légumes

60 ml (¼ de tasse) de sauce soya

30 ml (2 c. à soupe) de miel

15 ml (1 c. à soupe) de paprika

5 ml (1 c. à thé) de piments forts coréens en poudre (gochugaru)

1. Dans un bol, mélanger les ingrédients de la sauce.

2. Dans une casserole, verser 500 ml (2 tasses) d'eau. Ajouter le riz et remuer. Porter à ébullition, puis couvrir et laisser mijoter de 15 à 20 minutes à feu doux-moyen, jusqu'à absorption complète du liquide.

3. Pendant ce temps, chauffer l'huile de sésame dans une poêle à feu moyen. Faire dorer le chou-fleur de 4 à 5 minutes.

4. Ajouter l'oignon, le gingembre et l'ail dans la poêle. Cuire de 1 à 2 minutes.

5. Verser la sauce dans la poêle. Porter à ébullition, puis laisser mijoter de 3 à 4 minutes à feu doux-moyen.

6. Servir la préparation au chou-fleur sur le riz. Garnir d'oignons verts et de graines de sésame.

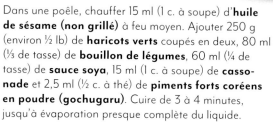

Le petit extra
Poêlée de haricots verts asiatique

Dans une poêle, chauffer 15 ml (1 c. à soupe) d'**huile de sésame (non grillé)** à feu moyen. Ajouter 250 g (environ ½ lb) de **haricots verts** coupés en deux, 80 ml (⅓ de tasse) de **bouillon de légumes**, 60 ml (¼ de tasse) de **sauce soya**, 15 ml (1 c. à soupe) de **cassonade** et 2,5 ml (½ c. à thé) de **piments forts coréens en poudre (gochugaru)**. Cuire de 3 à 4 minutes, jusqu'à évaporation presque complète du liquide.

>> Ce petit extra vous apportera 2 g de protéines de plus par personne. Puisque ce ne sera sans doute pas suffisant, n'hésitez pas à ajouter des pois chiches rôtis ou des cubes de tofu à la préparation au chou-fleur.

Lasagne aux légumes

Préparation 25 minutes | **Cuisson** 50 minutes | **Quantité** 6 portions

12	pâtes à lasagne
1	courge Butternut pelée et tranchée finement
1	oignon coupé en dés
2	courgettes tranchées
	Sel et poivre au goût
1	contenant de ricotta de 475 g
250 ml	(1 tasse) de parmesan râpé
500 ml	(2 tasses) de mozzarella râpée
30 ml	(2 c. à soupe) de ciboulette fraîche hachée
60 ml	(¼ de tasse) de persil frais haché
15 ml	(1 c. à soupe) d'ail haché
15 ml	(1 c. à soupe) d'huile d'olive
500 ml	(2 tasses) de sauce marinara
750 ml	(3 tasses) de bébés épinards

1. Préchauffer le four à 180 °C (350 °F).

2. Dans une casserole d'eau bouillante salée, cuire les pâtes à lasagne *al dente*. Égoutter.

3. Pendant ce temps, chauffer l'huile dans une poêle à feu moyen. Cuire les tranches de courge de 1 à 2 minutes de chaque côté.

4. Ajouter l'oignon dans la poêle et cuire 2 minutes.

5. Ajouter les courgettes. Poursuivre la cuisson de 3 à 4 minutes. Saler et poivrer.

6. Dans un bol, mélanger la ricotta avec le parmesan, la moitié de la mozzarella, les fines herbes et l'ail. Saler, poivrer et remuer.

7. Verser un peu de sauce marinara au fond d'un plat de cuisson de 33 cm x 23 cm (13 po x 9 po). Couvrir de quatre pâtes à lasagne cuites. Couvrir de la moitié des tranches de courge, de la préparation aux courgettes et des bébés épinards. Napper du tiers de la sauce marinara restante, puis couvrir de la moitié de la préparation à la ricotta. Répéter cette étape une seconde fois, puis couvrir des quatre pâtes à lasagne restantes. Couvrir du reste de la sauce marinara et de la mozzarella.

8. Couvrir le plat d'une feuille de papier d'aluminium. Cuire au four de 20 à 25 minutes.

9. Retirer la feuille de papier d'aluminium et poursuivre la cuisson au four de 20 à 25 minutes.

Rouleaux de légumes

Préparation 20 minutes | Cuisson 5 minutes | Quantité 4 portions (8 rouleaux)

PAR PORTION	
Calories	453
Protéines	16 g
M.G.	26 g
Glucides	43 g
Fibres	8 g
Fer	3 mg
Calcium	120 mg
Sodium	678 mg

100 g (3 ½ oz) de vermicelles de riz

8 grandes feuilles de chou de Savoie

2 carottes coupées en juliennes

¼ de concombre anglais coupé en juliennes

⅛ de chou rouge émincé

1 avocat coupé en bâtonnets

1 poivron rouge coupé en lanières

30 ml (2 c. à soupe) de feuilles de coriandre fraîche

80 ml (⅓ de tasse) de micropousses

Pour la sauce :

150 g (⅓ de lb) de tofu soyeux mou

½ piment thaï haché

125 ml (½ tasse) de lait de coco

60 ml (¼ de tasse) de beurre d'arachide

45 ml (3 c. à soupe) de sauce soya

30 ml (2 c. à soupe) de jus de lime frais

1. Réhydrater les vermicelles de riz selon les indications de l'emballage. Égoutter.

2. Dans une petite casserole, mélanger les ingrédients de la sauce. Porter à ébullition, puis retirer du feu.

3. À l'aide du mélangeur à main, mélanger la préparation jusqu'à l'obtention d'une sauce lisse. Réserver.

4. Dans une casserole d'eau bouillante salée, cuire les feuilles de chou de 5 à 8 minutes. Refroidir sous l'eau froide. Égoutter.

5. À la base d'une feuille de chou, déposer un peu de légumes, de vermicelles, de coriandre et de micropousses. Rabattre les côtés de la feuille sur la garniture. Ramener la feuille jusqu'à la base de la garniture. Rouler délicatement afin de ne pas percer la feuille. Serrer pour former un rouleau. Répéter avec les feuilles de chou restantes.

6. Servir les rouleaux avec la sauce.

PAR PORTION	
Calories	415
Protéines	14 g
M.G.	27 g
Glucides	33 g
Fibres	8 g
Fer	3 mg
Calcium	245 mg
Sodium	569 mg

Pâtes de patates douces aux asperges

Préparation 20 minutes | **Cuisson** 7 minutes | **Quantité** 4 portions

2	grosses patates douces pelées
30 ml	(2 c. à soupe) d'huile d'olive
1	oignon émincé
12	asperges émincées
330 ml	(1 ⅓ tasse) de pois verts
15 ml	(1 c. à soupe) d'épices cajun
125 ml	(½ tasse) de bouillon de légumes
30 ml	(2 c. à soupe) de basilic frais émincé
30 ml	(2 c. à soupe) de persil frais haché
	Sel et poivre au goût
180 ml	(¾ de tasse) de parmesan râpé
180 ml	(¾ de tasse) de noix de Grenoble hachées

1. À l'aide d'un coupe-spirales ou d'une mandoline, tailler les patates douces en spirales.

2. Dans une poêle, chauffer l'huile à feu moyen. Cuire l'oignon 1 minute.

3. Ajouter les asperges et poursuivre la cuisson de 3 à 4 minutes.

4. Ajouter les spirales de patates douces, les pois verts, les épices, le bouillon et les fines herbes. Saler, poivrer et remuer. Cuire de 3 à 4 minutes, jusqu'à ce que les spirales de patates douces soient légèrement *al dente*.

5. Au moment de servir, garnir de parmesan et de noix de Grenoble.

Poutine de légumes

Préparation 20 minutes | **Cuisson** 25 minutes | **Quantité** 4 portions

PAR PORTION	
Calories	505
Protéines	21 g
M.G.	31 g
Glucides	40 g
Fibres	6 g
Fer	3 mg
Calcium	446 mg
Sodium	1737 mg

3 carottes coupées en bâtonnets

2 pommes de terre coupées en bâtonnets

¼ de rutabaga coupé en bâtonnets

1 contenant de champignons blancs de 227 g, coupés en deux

30 ml (2 c. à soupe) d'huile d'olive

15 ml (1 c. à soupe) de thym frais haché

5 ml (1 c. à thé) de romarin frais haché

15 ml (1 c. à soupe) d'assaisonnements à la grecque

Sel et poivre au goût

150 g (⅓ de lb) d'asperges coupées en tronçons

250 g (environ ½ lb) de fromage en grains

Pour la sauce :

45 ml (3 c. à soupe) de beurre

125 ml (½ tasse) d'échalotes sèches (françaises) hachées

10 ml (2 c. à thé) d'ail haché

45 ml (3 c. à soupe) de farine tout usage

60 ml (¼ de tasse) de sauce soya

500 ml (2 tasses) de bouillon de légumes

Poivre au goût

1. Préchauffer le four à 225 °C (450 °F).

2. Dans un bol, mélanger les carottes avec les pommes de terre, le rutabaga, les champignons, l'huile, les fines herbes et les assaisonnements à la grecque. Saler, poivrer et remuer.

3. Sur une plaque de cuisson tapissée de papier parchemin, déposer les légumes, sans les superposer.

4. Cuire au four de 20 à 25 minutes, en remuant plusieurs fois en cours de cuisson.

5. Ajouter les asperges sur la plaque et remuer. Poursuivre la cuisson 5 minutes.

6. Pendant ce temps, faire fondre le beurre dans une casserole à feu moyen. Cuire les échalotes et l'ail 1 minute.

7. Ajouter la farine et cuire 1 minute en remuant.

8. Verser la sauce soya et le bouillon dans la casserole. Poivrer. Porter à ébullition en fouettant.

9. Répartir les légumes dans quatre assiettes creuses. Parsemer de fromage en grains et napper de sauce.

Poivrons farcis

Préparation 20 minutes | **Cuisson** 38 minutes | **Quantité** 4 portions

PAR PORTION	
Calories	666
Protéines	20 g
M.G.	26 g
Glucides	91 g
Fibres	13 g
Fer	6 mg
Calcium	190 mg
Sodium	1073 mg

250 ml (1 tasse) d'orzo

15 ml (1 c. à soupe) d'huile d'olive

1 oignon haché

10 ml (2 c. à thé) d'ail haché

1 courgette coupée en dés

2 tomates italiennes épépinées et coupées en dés

1 boîte de pois chiches de 540 ml, rincés et égouttés

250 ml (1 tasse) de sauce tomate

60 ml (¼ de tasse) de persil frais haché

30 ml (2 c. à soupe) de basilic frais émincé

45 ml (3 c. à soupe) de noix de pin

125 ml (½ tasse) d'olives Kalamata tranchées

½ contenant de perles de bocconcini de 200 g

Sel et poivre au goût

4 poivrons de couleurs variées

1. Préchauffer le four à 205 °C (400 °F).

2. Dans une casserole d'eau bouillante salée, cuire l'orzo *al dente*. Égoutter.

3. Pendant ce temps, chauffer l'huile dans une poêle à feu moyen. Cuire l'oignon et l'ail de 1 à 2 minutes.

4. Ajouter la courgette, les tomates et les pois chiches dans la poêle. Poursuivre la cuisson de 2 à 3 minutes.

5. Ajouter l'orzo, la sauce tomate, les fines herbes, les noix de pin, les olives et les bocconcinis. Saler, poivrer et remuer. Cuire de 3 à 4 minutes.

6. Couper les poivrons en deux sur la longueur. Retirer les membranes et les graines.

7. Farcir les poivrons avec la préparation à l'orzo.

8. Dans un plat de cuisson, déposer les poivrons farcis. Cuire au four de 25 à 30 minutes.

Courges spaghetti au pesto et artichauts

Préparation 20 minutes | **Cuisson** 1 heure 5 minutes | **Quantité** 4 portions

PAR PORTION	
Calories	773
Protéines	21 g
M.G.	55 g
Glucides	53 g
Fibres	9 g
Fer	3 mg
Calcium	587 mg
Sodium	960 mg

2	courges spaghetti
30 ml	(2 c. à soupe) d'huile d'olive
	Sel et poivre au goût
1	oignon haché
1	boîte de fonds d'artichauts de 398 ml, coupés en dés
15 ml	(1 c. à soupe) d'ail haché
250 ml	(1 tasse) de crème à cuisson 35 %
½	paquet de fromage à la crème de 250 g
30 ml	(2 c. à soupe) de pesto de basilic
500 ml	(2 tasses) de mélange de fromages italiens râpés
500 ml	(2 tasses) de bébés épinards

1. Préchauffer le four à 205 °C (400 °F).

2. Couper les courges spaghetti en deux sur la longueur. Retirer les graines et les filaments.

3. Déposer les demi-courges sur une plaque de cuisson tapissée de papier parchemin, côté chair vers le haut. Arroser de la moitié de l'huile. Saler et poivrer.

4. Cuire au four de 40 à 45 minutes, jusqu'à ce que la chair des courges s'effiloche facilement à la fourchette.

5. Pendant ce temps, chauffer le reste de l'huile dans une poêle à feu moyen. Cuire l'oignon, les fonds d'artichauts et l'ail de 1 à 2 minutes.

6. Ajouter la crème, le fromage à la crème et le pesto. Saler et poivrer. Porter à ébullition, puis laisser mijoter de 3 à 5 minutes. Ajouter la moitié du fromage et les épinards. Remuer.

7. Retirer les courges du four et effilocher la chair à l'aide d'une fourchette, sans percer la peau.

8. Déposer les demi-courges sur une plaque de cuisson tapissée de papier parchemin. Garnir de la préparation aux artichauts. Couvrir du reste du fromage.

9. Cuire au four de 22 à 28 minutes.

10. Régler le four à la position « gril » (*broil*) et poursuivre la cuisson 3 minutes.

Steak de chou-fleur et pois chiches grillés

Préparation 20 minutes | **Cuisson** 15 minutes | **Quantité** 4 portions

PAR PORTION	
Calories	452
Protéines	14 g
M.G.	24 g
Glucides	49 g
Fibres	10 g
Fer	2 mg
Calcium	119 mg
Sodium	295 mg

2	petits choux-fleurs
330 ml	(1 ⅓ tasse) de préparation crémeuse au soya (de type Belsoy)
125 ml	(½ tasse) de bouillon de légumes
	Sel et poivre au goût
30 ml	(2 c. à soupe) d'huile d'olive
1,25 ml	(¼ de c. à thé) de cumin
1,25 ml	(¼ de c. à thé) de coriandre moulue
1	boîte de pois chiches de 540 ml, rincés et égouttés
45 ml	(3 c. à soupe) de sirop d'érable
45 ml	(3 c. à soupe) de feuilles de coriandre fraîche

1. Préchauffer le four à 205 °C (400 °F).

2. Couper les deux extrémités des choux-fleurs en gardant une tranche de 7,5 cm (3 po) au centre des choux-fleurs. Couper les tranches de chou-fleur en deux sur l'épaisseur.

3. Hacher grossièrement le reste du chou-fleur.

4. Dans une casserole, déposer le chou-fleur haché, la préparation crémeuse au soya et le bouillon de légumes. Saler, poivrer et remuer. Porter à ébullition, puis laisser mijoter 15 minutes à feu doux. Retirer du feu.

5. Mélanger la préparation au chou-fleur à l'aide du mélangeur à main, jusqu'à l'obtention d'une purée lisse. Réserver au chaud.

6. Pendant ce temps, chauffer l'huile à feu moyen dans une grande poêle. Cuire les tranches de chou-fleur de 1 à 2 minutes de chaque côté.

7. Déposer les steaks de chou-fleur sur une plaque de cuisson tapissée de papier parchemin. Assaisonner de cumin, de coriandre moulue, de sel et de poivre.

8. Sur une autre plaque de cuisson tapissée de papier parchemin, déposer les pois chiches. Arroser de sirop d'érable. Saler et poivrer.

9. Cuire les steaks de chou-fleur et les pois chiches au four de 12 à 15 minutes, en remuant les pois chiches à mi-cuisson.

10. Au moment de servir, déposer les steaks de chou-fleur sur la purée. Garnir de pois chiches rôtis et de feuilles de coriandre.

Bon à savoir

Les substituts aux produits laitiers

Vous souhaitez prendre un virage encore plus végé et ne plus consommer de produits laitiers ? Les supermarchés offrent de belles options pour les remplacer. Le lait de vache peut être troqué contre des boissons de soya, de riz, aux amandes ou aux noix de cajou. Le lait de coco peut aussi être un bon choix, selon les recettes ou vos goûts. Attention toutefois : certaines boissons, celle aux amandes notamment, ne contiennent pas suffisamment de protéines pour combler vos besoins nutritionnels. La crème et la crème de soya, aussi appelée « préparation crémeuse de soya pour cuisiner », sont facilement interchangeables. Il existe également sur le marché différents fromages et yogourts non laitiers composés de noix de cajou ou de noix de coco, d'avoine ou même de pois !

Index des recettes

Plats principaux

Une réalisation de